AF617183

Bebé de las Nieves

JOSEPHINE DIEBITSCH PEARY

CUADERNOS
DE HORIZONTE

Bebé de las Nieves

seguido de

Niños del Ártico

JOSEPHINE DIEBITSCH PEARY

TRADUCCIÓN Y PRÓLOGO DE
PILAR RUBIO REMIRO

LA LÍNEA DEL HORIZONTE
ediciones

Colección Cuadernos de Horizonte, 29

Títulos originales: *The Snow Baby*, *Children of the Arctic*

Primera edición: noviembre, 2023

Publicado por LA LÍNEA DEL HORIZONTE EDICIONES
C/ Mesón de Paredes, 73, 28012 (Madrid, España)
www.lalineadelhorizonte.com
info@lalineadelhorizonte.com

Coordinación editorial: Miguel S. Salas
Corrección: Luis Porras Vila
Diseño de cubierta:
Víctor Montalbán | Montalbán Estudio Gráfico

ISBN: 978-84-17594-88-6
Thema: WTL, 1MTNG | Depósito Legal: M-31250-2023

Imprime: Estugraf | Impreso en España

Este libro ha sido impreso en papel ecológico, cuya materia prima proviene de una gestión forestal sostenible.

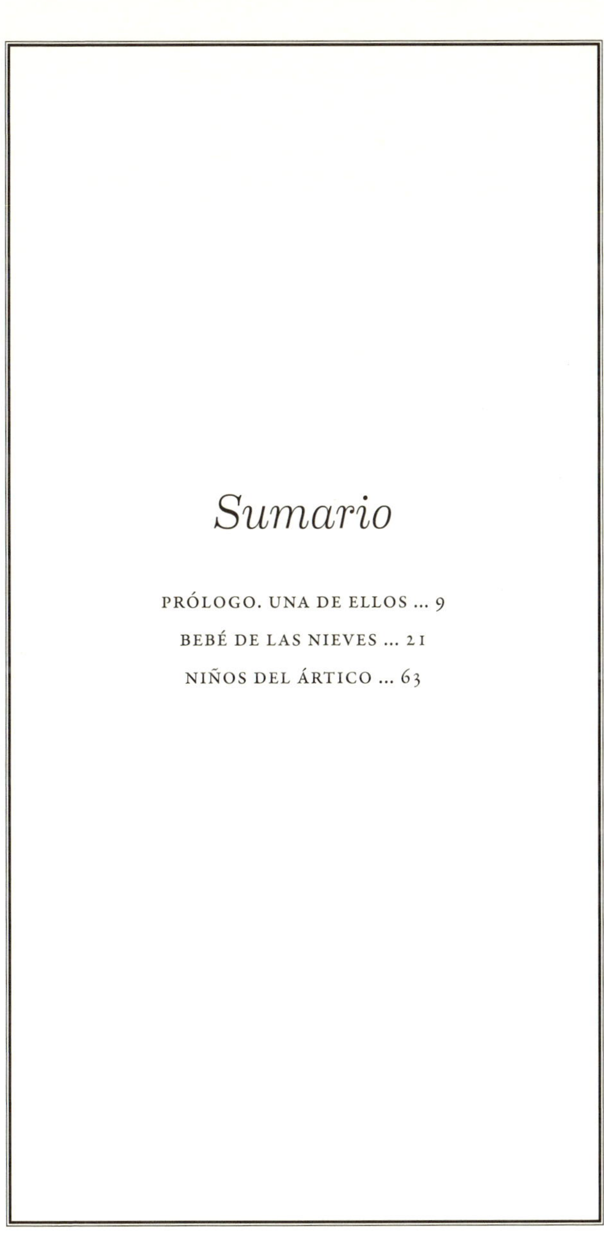

Sumario

PRÓLOGO

UNA DE ELLOS

Hemos reunido en un solo volumen los dos relatos aparecidos en 1901 y 1903 que escribió Josephine Diebitsch Peary (1863-1955) al término de su experiencia polar: *Bebé de las Nieves* y *Niños del Ártico*. Con ellos se completa la trilogía que encabeza sus diarios de la expedición a Groenlandia de 1891-1892, *Diario ártico. Un año entre los hielos y los inuit* que precede en su publicación a estos, sus dos últimos relatos. En esta ocasión, en vez de la voz en primera persona que articula sus diarios anteriores, la autora se atiene a la voz de una narradora que observa con más distancia los hechos dirigiéndose a alguien de la familia o a un lector imaginario, y desde el propio nacimiento de su hija, Marie Ah-Ni-Ghi'-To Peary, le cede la voz protagonista a la niña para dirigirse a lectores infantiles, lo que, para sorpresa de su autora, hizo alcanzar, nada más ver la luz, un éxito de ventas prodigioso. Se entiende esta acogida porque, al igual que sus diarios, estos relatos transpiran la misma placidez, el mismo asombro ante la belleza serena de un paisaje al que escamotea su rostro feroz para ofrecernos el lado más amable, el gozo sin disimulo de un espacio abierto a lo imprevisto y el regalo de una intensidad inconmensurable.

Josephine Diebitsch no se consideraba, ni era, una escritora o una periodista, pero tenía la capacidad de transmitir de forma sencilla la experiencia nada vulgar de una expedición a las regiones polares. En los años que reproducen estos escritos y sus seis viajes de expedición a Groenlandia, desde 1888 a 1902, guiados por el empeño de su marido Joseph Peary en conquistar el Polo Norte, Josephine no se resigna a quedarse en casa, reclama un papel activo en esta aventura y jamás se escapará de su ánimo una mención al desaliento. No olvidar que su decisión de acompañar y realizar tareas de apoyo a las expediciones de Peary fueron reprobadas públicamente por otros exploradores del ártico, máxime cuando en el verano de 1893 se embarca embarazada de cinco meses y da a luz en septiembre a una niña a 77° 44' de latitud norte, donde jamás ninguna mujer blanca lo había hecho. Con ella viaja otra mujer a la que no menciona: la señora Suzan Cross, enfermera y comadrona, y que habían reclutado en un anuncio en la prensa. Esta niña, a la que pondrán el nombre de Ah-Ni-Ghi'-To en honor a la mujer inuit que cosió sus ropas, se erige en la protagonista de estos relatos desde el mismo momento de su nacimiento y hasta los nueve años, edad que tenía tras otros cuatro viajes a Groenlandia en compañía de su madre. El universo que transciende es por ello femenino, no solo lo personalizan madre e hija, sino las mujeres y niños inuit que les rodean y que serán sus compañeros de juegos, especialmente la niña inuit de doce años que cuidaba a Marie, E-Klay-I-Shoo, a la que llamaban Miss Bill o Billy Bah y que incluso se llevan con ellos a Filadelfia donde vivirá un año y de la que se registran algunas de las primeras impresiones de la niña en una sociedad tan ajena. Si en *Diario ártico* Josephine emplea su mirada femenina sobre las sombras que siempre dejan anónimas los relatos masculinos, en estos el foco está en la mirada infantil, de ahí la escasa elaboración y el lenguaje sencillo de su escritura. No hay que olvidar que el propósito de la edición de estos dos relatos era recabar financiación para las expediciones de Peary, y que en el tiempo entre una y otra, mientras su marido se encontraba en Groenlandia, su mujer aprovechaba su propia fama como exploradora escribiendo artículos para periódicos, negociando exclusivas, consiguiendo patrocinadores y recorriendo el país dando conferencias y charlas en las que hablaba sin boato, pero con sinceridad y pasión sobre las costumbres de los nativos a los que había observado con detenimiento y sobre las propias experiencias vividas en tan difíciles circunstancias. Su falta de teatralidad, su indisimulado placer por la huella de una experiencia que disfrutó escondiendo la angustia de sus pasajes más desafortunados la convirtieron en una heroína muy popular. Sus libros encontraron eco en una ansiosa masa lectora que devoraba las vicisitudes de la aventurera blanca como el gran y definitivo triunfo sobre los límites de las geografías desconocidas, los medios inhóspitos para la vida humana y el sortilegio de lo heroico. La exploración polar, recién inaugurado el siglo XX, encarnaba en la fantasía popular una curiosidad y admiración ilimitadas. Sus conferencias encandilaban a la prensa, cuyo seguimiento aumentaba en lectores, y su propia casa se había convertido en la clase de universo exotizante que deslumbraba a invitados de fuste, tan necesarios para cubrir los costes de las expediciones del equipo. Era más que un gabinete de curiosidades, era un museo vivo de las artes y costumbres que tenían lugar en ese mismo instante a no mucha distancia de latitud norte. Los visitantes del apartamento de Remsen Street en Brooklyn recordaban extasiados contemplar los colmillos y pieles de narval, las pieles de oso polar que tapizaban los sillones, el busto de un hombre inuit con las ropas de pieles y adornos que se extendían a las vitrinas con extrañas figuritas talladas en marfil de narval y dientes de morsas.

Ambos relatos, traducidos al castellano por primera vez, cubren las cuatro expediciones de madre e hija. Cada uno de ellos encaja un suceso notable. En la primera estancia de 1893-1894 ocurre el nacimiento de la verdadera protagonista: su hija María, la Bebé de las Nieves en la cabaña del fiordo Bowdoin, golfo McCormick, en el extremo noroeste de Groenlandia, donde estaba previsto permanecer dos años, pero finalmente se acortó a uno. Al igual que hará su marido con Matthew Henson, su ayudante número uno al que apenas menciona a pesar de su importancia, Josephine no nombra en ningún momento a la enfermera Cross, pero sí lo hace con E-Klay-I-Shoo, la niña inuit de doce años, Miss Bill, que cuidaba de su hija Ah-Ni-Ghi'-To y que incluso vivirá la experiencia de viajar a Estados Unidos con la familia y permanecer allí todo un año. Este nacimiento en semejantes condiciones ya muestra el empeño de esta dama por crear un lugar para sí misma, un suceso de mérito en el espacio reservado al heroísmo masculino, que suscitó asombro y rechazo a partes iguales. Puede que Josephine fuera consciente del valor simbólico de su hazaña porque nos relata que tan pronto como volvió a asomar el sol por el horizonte sacaba a la niña al exterior envuelta en la bandera de las barras y estrellas.

En la segunda expedición de 1897, en la que vuelven a participar madre e hija, y en la que se celebrará el cuarto cumpleaños de la niña, camuflada entre los juegos de su protagonista y de los amiguitos inuit con los que convive encantada, se da cuenta de dos de las historias más deshonrosas que ensuciaron las expediciones de su marido: el robo y expolio de tres meteoritos a los que los nativos guardaban gran devoción y de los que extraían el hierro para fabricar sus cuchillos y puntas de lanza con los que cazar. A falta de logros visibles en el transcurso de su proyecto, Peary vio en ellos la manera de hacer caja para sus propósitos. Los dos primeros, llamados La Mujer y su Perro, ya se los había llevado cuando regresó en el barco que había traído a Miss Bill, la niña inuit, dos años antes; el tercero, al que habían bautizado como el *Tupic* de la mujer de hierro, se embarcó durante esta estancia en la que podemos apreciar la dificultad de tamaña empresa. Obtuvo por ellos la inestimable cifra de 40 000 dólares que pagó el Museo de Historia Natural. Nada se dice de otra ignominia, la de llevarse con ellos de vuelta a seis inuits: el pequeño Minik, su padre Qisuk y otros cuatro a petición del antropólogo Franz Boas para ser estudiados en el mismo museo de Nueva York. Cuatro murieron de pulmonía, incluido el padre, otro fue devuelto a Groenlandia y el pequeño Minik tuvo una existencia dolorosa y conflictiva que acabará con su temprana muerte a los veintiocho años durante la epidemia de gripe en Nueva York de 1918. En el relato solo se alude vagamente a los esquimales que viajaban con ellos, ninguna alusión a la realidad que les esperaba.

El 20 de julio de 1900, madre e hija parten de nuevo. Tercera experiencia ártica para ambas. En el transcurso de estos viajes Josephine había tenido otra hija que murió poco después. Iba a ser un simple viaje para aprovisionar la expedición y comprobar el estado de su marido, pues le informaron que había sufrido congelaciones graves en los pies, y de hecho le habían amputado siete dedos. Marie Ah-Ni-Ghi'-To tenía ya seis años y la voz de su madre va desapareciendo para dar paso a la de su hija a través de sus diarios y cartas. Nada sale bien en esta ocasión, y lo que iba a ser un viaje tranquilo y rutinario se convierte en una fuente de problemas y frustraciones que se escamotean al relato. La primera de ellas sobrevino con el infortunio de quedarse aprisionadas en el hielo durante un largo año. El objetivo de este nuevo proyecto era dirigirse a Groenlandia para descargar las provisiones, pero sobre la marcha supieron que su marido se encontraba en Ellesmere, Canadá, y al tener que virar hacia allí les sorprendió el congelamiento de la banquisa, en el estrecho entre las dos islas, por lo que el Barlovento quedó encerrado a unas millas de la costa de Fort Conger durante largos meses. Nuevamente, fiel a su espíritu aventurero y disfrutador, lejos de transmitir enojo o aburrimiento ante lo inesperado, asistimos a tanta actividad a través de la niña y sus amigos que más parece un crucero turístico: en el barco se celebran fiestas infantiles y juegos, y en los paseos por la costa asistimos a carreras de trineos, jornadas de caza y diversiones con los niños inuits. También se entretienen recibiendo en el barco visitas de adultos y familias, pero, vaya, una en concreto habría de traer a Josephine D. Peary el momento más amargo de su vida. Como es habitual con los asuntos desagradables, nada se inmiscuye en los diarios de su hija Marie que solo habla de lo entretenido de estas amenas visitas, y no alude a la presencia, entre ellas, de una joven madre, Aleqasina (Allaka, Allakasingwah, Akatingwah, Ally), con su hijo Anaukkaq. Aunque ella estaba casada con Piuaiittuq Ulloriaq, el hijo que le muestra inocentemente a Josephine era de su propio marido, Robert Peary. Se trataba de la familia inuit de su esposo.

Sobre este capítulo, que conoceremos después por otros documentos, incluida la amarga carta de veintiséis páginas que le escribe su mujer, no solo recae el drama familiar de una mujer cuando sabe que su marido ha llevado una doble vida y fundado otra familia (la relación como sabemos por el testimonio del propio Peary continuó), sino una cuestión transcendental que atañe a la desigual relación de poder, no solo de las mujeres inuits en su propia cultura, sino a la presión y al impacto sobre ellas de los colonizadores y expedicionarios y del momento trascendental de su contacto. En una cultura tan vinculada a la movilidad como la inuit, dependiente de los medios de subsistencia en un espacio cambiante por sus condiciones climáticas, las peculiares relaciones de género han dado pie a numerosos estudios. Muchos años después, una expedición al mando de S. Allen Counter encontró en 1960 a los descendientes inuits tanto de Peary como de su asistente personal durante veintidós años, el afroamericano Matthew Henson, historia que dio lugar al relato y documental *North Pole Legacy: Black, White and Eskimo*.

Aún habría una breve y cuarta expedición a bordo del Barlovento en la que participaron madre e hija. Tuvo lugar entre julio y septiembre de 1902, y para entonces Marie Ah-Ni-Ghi'-To tenía ya nueve años y era toda una celebridad, pues *Bebé de las Nieves* se había publicado en 1901 obteniendo rápidamente unas ventas extraordinarias, lo que hizo demandar la aparición de *Niños del Ártico*, tan solo dos años después. Merece la pena fijarse que este último no lo firma con su apellido de casada

—aun así, siempre había mantenido la D. de su propio apellido—, sino con el suyo propio, lo que muestra un empeño por hacer valer su propia voz.

Hoy podemos leer este testimonio desde el embeleso intacto que aún suscita una de las culturas más sorprendentes de la humanidad confrontada a un medio verdaderamente hostil. Un siglo después muchas de sus costumbres han sucumbido, pero la descripción de sus ropas y el proceso de la confección de sus pieles, las costumbres familiares, sus objetos de cultura material, sus hábitos y habilidades de caza, su alimentación, sus formas de movilidad, la construcción y el uso detallado de sus viviendas y las circunstancias de su vida cotidiana, ya prácticamente desaparecidas, convierten estos relatos en una lectura de sostenido asombro. Al igual que en su *Diario ártico*, Josephine Peary se muestra en todo momento como lo que es: una dama victoriana de sólidos principios interrogada por otras realidades incómodas, extrañas y ajenas, pero ante las que interpone un talante que, si bien deja traslucir su inicial rechazo (suciedad, olor, desnudez, comida), acaba por abandonarse a la aceptación de la otredad y de ahí al placer de compartir experiencias. Es una avezada observadora, siempre pródiga en detalles y descripciones, consciente en todo momento del privilegio de participar en la gran aventura de la exploración ártica con temple y afán de implicación. Elige y se inserta en un nuevo espacio de libertad personal para las mujeres y, al romper sus estrictas reglas, propicia una vía a otras féminas en la dura carrera de la exploración y el conocimiento de las geografías y culturas árticas. Sobrevivió a su marido treinta y cinco años, tiempo en el que no se apartó de su pasión ártica, lo que le valió la concesión de una medalla de la Royal Geographical Society al final de su vida y el reconocimiento para la posteridad de su estatus de exploradora.

PILAR RUBIO REMIRO

BEBÉ DE LAS NIEVES

Dedicado a su abuela

A cientos y cientos de kilómetros de distancia, en el blanco y helado norte, mucho más allá de donde los grandes barcos salen a cazar enormes ballenas negras, se extiende una maravillosa tierra de nieve y hielo, montañas, glaciares e icebergs, en la que extrañas personitas marrones llamadas esquimales,[1] vestidas con pieles de animales, viven en casas de nieve.

Durante el verano el sol nunca se pone en esta maravillosa tierra, sino que brilla todo el tiempo, día y noche. La nieve se derrite sobre el suelo; brotan flores azules, blancas y amarillas y renos de pardo pelaje y suaves ojos deambulan picoteando la hierba rala.

El hielo se rompe y se desplaza hacia el mar. Avanzan los glaciares o ríos de hielo crujiendo y gimiendo hacia el agua, hasta que enormes icebergs se desprenden y se alejan flotando como níveos barcos. Las olas azules bailan y centellean al sol, y por todas partes los arroyos cantarines se precipitan desde las montañas o caen en cascadas plateadas sobre los acantilados, donde millones y millones de ruidosas aves marinas vienen a poner sus huevos.

Enormes morsas negras, más grandes que bueyes, se arrastran sobre el hielo y duermen al sol, o pelean

1 El término *esquimal* (en inglés *eskimo*) significa «comedor de carne cruda», una acepción habitual, pero despectiva, para referirse a los indígenas de las poblaciones árticas usada en la época en que está escrito este relato. Hoy se utiliza comúnmente el término *inuit* que significa «el pueblo» (N. de la T.).

con sus largos colmillos de marfil y braman pudiéndose oírlas a kilómetros de distancia.

Focas moteadas de piel resplandeciente nadan en el agua y cardúmenes de narvales, que solían llamarse unicornios, se lanzan de un lugar a otro más veloces que el barco de vapor más rápido, con sus largos colmillos de blanco marfil que sobrepasan la altura de un hombre, centelleando como lanzas dentro y fuera del agua.

De vez en cuando, un feroz y peludo oso blanco corre sobre las placas heladas o nada en el agua en busca de una pobre cría de foca para cenar. Los esquimales, remando velozmente por el agua en sus extraños botes de piel, o kayaks, persiguen con arpones y lanzas a todos estos animales hasta matarlos.

En invierno no hay sol y durante cuatro larguísimos meses la oscuridad es total, día y noche. Tal como ocurre aquí durante la noche, tan solo la luna y las estrellas aportan luz. La tierra está revestida de densa nieve, a través de la cual los pobres ciervos tienen que excavar con sus pezuñas para obtener unas cuantas briznas de hierba y musgo. El mar está cubierto de hielo en varios centímetros de espesor. Los pájaros desaparecieron y las morsas y narvales se han ido lejos, a mar abierto. Solo quedan unos pocos osos hambrientos y los esquimales con sus perros. El frío es tan terrible que estas gentes morirían congeladas en una hora si no fuera por sus gruesos y cálidos abrigos de piel bajo el manto de grasa interior.

Lejos, más al norte, más allá del círculo polar ártico, se halla una tierra habitada por una pequeña tribu de esquimales, llamada Montañeses del Ártico. Estos son los habitantes conocidos más al norte del mundo.

Dependen por completo de su territorio para todo lo que necesiten y, como hace mucho frío y parte del año viven sin sol, hay muy poca vida vegetal, de modo que sobreviven solo de los animales, usando la carne como alimento y las pieles para su ropa. Durante la corta temporada de verano, cuando brilla el sol, la hierba y las flores crecen rápidamente; los pájaros regresan y construyen sus nidos y, ¡ay!, los mosquitos salen en enjambres. Pero esto dura poco tiempo.

Aquí, en esta tierra maravillosa, en una negra casita, a los pies de una gran montaña marrón, vino al mundo, un luminoso día de septiembre, una niña blanca como la nieve y con grandes ojos azules.

Y esta es la casa tan singular que se encontró: tenía solo un piso de altura, su exterior estaba recubierto con una gruesa capa de alquitrán negro, las paredes tenían más de treinta centímetros de grosor y había muchas ventanas para una vivienda tan pequeña, una de ellas era tan ancha que cruzaba la parte alta de la casa, como si fuera un invernadero. Era para permitir que sus reclusos disfrutaran del sol mientras durase.

Alrededor de la casa había una galería cerrada, cuyos muros estaban forrados con cajas de comida, galletas, azúcar, café y té, ya que nada de esto se podía comprar en el lugar, salvo la carne.

En el interior, la habitacioncita que se encontró la bebé estaba tapizada con suaves y cálidas mantas, el suelo cubierto por una resplandeciente alfombra, muchos libros, una máquina de coser y cuadros en las paredes. Todo esto, al igual que las cajas de comida del exterior, había sido transportado en el gran barco que había traído al padre y la madre de la bebé a este extraño país.

La cuna en la que yacía la bebé estaba cubierta con agradables y calientes pieles de reno, por entre las cuales ni siquiera el terrible frío de la larga y oscura noche podía penetrar. Una ventana de la habitación daba a un gran glaciar o río de hielo, y la otra a altas montañas rojizas y marrones que bordeaban una bahía en la que flotaban montones y montones de icebergs, de las formas más extrañas y fantásticas, así que se podía imaginar que algunos de ellos eran el palacio del Rey Hielo; otros, blancos barcos y aún en otros más se podría reconocer el rostro cruel y blanco del Rey Hielo.

Cuando las extrañas gentes de esta tierra se enteraron de que había aparecido una bebé en la casa y que, algo maravilloso que contar, era perfectamente blanca, cientos de hombres, mujeres y niños montados en trineos tirados por salvajes perros lanudos, que más bien parecían lobos, llegaron para ver a la extraña criatura. Eran gentes morenas, de cabello negro y desgreñado, vestidas completamente con pieles, tanto en verano como en invierno.

Le decían «Ow-Nay» y «Ah-Nan-Nan», por lo que ella se les quedaba mirando con los ojos muy abiertos. Luego quisieron tocarla para ver si estaba caliente y no hecha de nieve de lo blanca que era.

Si por casualidad sonreía al mirar a uno de ellos, entonces se producía gran regocijo, pues se consideraba algo muy afortunado. Así que la llamaron «Ah-Poo-Mik-A-Nin-Ny» (la Bebé de las Nieves), y le trajeron como regalo mitones de piel, botitas de piel de foca, colmillos de morsa, pieles de crías de foca y de oso, y muchas cosas más.

❧

Era cerca del final del verano en el País de las Nieves cuando nació la bebé, y seis semanas después el sol se fue para desaparecer durante la larga noche de los cuatro meses de invierno.

Justo antes de que se fuera, la bebé fue llevada a su primera salida al exterior. Hacía mucho mucho frío; el termómetro andaba muy por debajo del punto de congelación y el suelo se hallaba cubierto de nieve, pero la bebé estaba metida en un saquito de piel de reno que la cubría por completo, excepto su cabeza, cubierta a su vez por una pequeña capucha de piel de zorro. Así fue sacada la bebé al aire libre dentro de su saco y envuelta en la bandera de barras y estrellas.

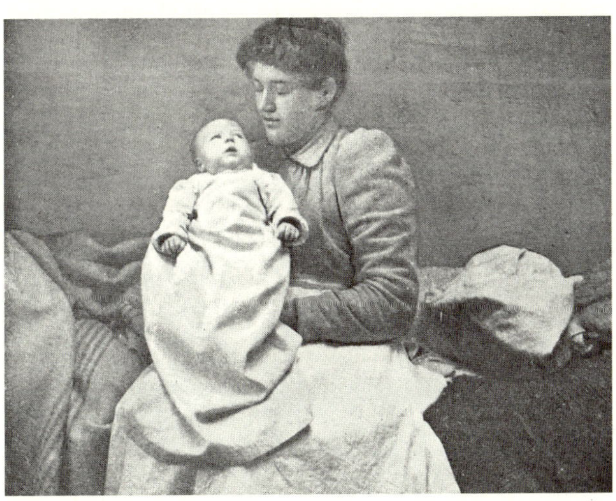

Luego el sol desapareció y durante días y semanas la bebé vivió en la pequeña habitación donde ardía una lámpara noche y día. En ella tomaba su baño diario, dormía y cantaba junto a la lámpara y los cuadros de la pared, y cada día iba creciendo y volviéndose más blanca. ¡Cómo disfrutaba del baño cuando, algo más mayor, su madre cerraba las puertas de la habitación, ponía una estufa de aceite en el interior de las cortinas de la cama que estaban cerradas, y lavaba a la bebé con agua tibia para, una vez seca, dejarla revolcarse un rato sobre el montón de pieles suaves y cálidas de oso y ciervo que se apilaban sobre la cama!

Sus amigos esquimales seguían viniendo a verla cada vez que podían, aunque no siempre se les permitía entrar en la habitación, ya que no estaban muy limpios.

Tras mucho mucho tiempo, la terrible noche comenzó a tocar a su fin, y todos los días despejados podíamos disfrutar al mediodía de una o dos horas de luz. Se decidió que cuando volviera el sol, sin importar el frío que hiciera, la bebé saldría todos los días, así que una de las esquimales andaba ocupada haciéndole un pequeño traje esquimal, enteramente de pieles.

Solo tenía dos piezas este traje: un pequeño abrigo con capucha y un par de pequeños pantalones y botas todo en uno. Niños y niñas, hombres y mujeres, todos usaban pantalones en este País de las Nieves.

Para hacer esta ropita se seleccionaron las pieles de zorro y ciervo más suaves y cálidas. Los pantaloncitos o *nannookies* estaban confeccionados con la piel por fuera, y le llegaban hasta la cintura, donde se sujetaban con un cordón hasta los tobillos, y allí se unían a una bota hecha de la misma piel suave de venado, pero con el tegumento hacia adentro, y cosida a cada pernera, haciendo así imposible que el aire frío llegara a sus piernas y piececitos.

El *kapetah*, o cuerpo de piel de zorro, era del mismo patrón que sus camisetas, es decir, sin ninguna abertura en la parte delantera o trasera, y al cuello se le cosía una capucha redonda, con la abertura justa para ajustarse perfectamente a su carita. Este ropaje abrigado es el que le puso su madre sobre la cabeza y sobre sus *nannookies*, de modo que así el aire frío no le podría congelar.

Alrededor de sus muñecas y de la abertura de la capucha de su cabeza, se cosieron colas de zorro, que ayudaban a mantener calientes cara y manos. El traje fue confeccionado por una mujer llamada Ah Ni-Ghi'-To, por eso cuando la bebé fue bautizada se le puso también Ah-Ni-Ghi'-To y Marie por su única tía, que esperaba, desde su lejana tierra natal, poder saludar a su sobrinita.

Por fin un día, a mediados de febrero, el gran sol amarillo volvió a aparecer sobre las cimas de las montañas e inundó todo con su luz más radiante.

La pequeña Ah-Ni-Ghi'-To aún dormía cuando el sol asomó por primera vez a la habitación, pero a los pocos minutos se despertó y, puesto que la habitación ya había sido calentada, su madre la sacó de su pequeño nido y la colocó, toda blanca y desnuda, sobre la cama para darle su primer baño a la luz del sol.

¡Cómo se abrieron sus grandes ojos azules ante esa extraña luz! ¡Cómo reía, saltaba y estiraba sus manitas hacia la luz amarilla, como si se bañara en agua dorada perfumada! Era la primera vez que veía el sol y desde entonces todos los días soleados tomaba su baño, y trataba de atrapar los rayos de sol que se inclinaban a través de la habitación. Si fallaba, entonces intentaba apresar esos pedazos de luz solar sobre la cama.

Todos los días soleados, se la vestía con su trajecito de pieles, se la introducía en su funda de piel de venado y se la sacaba al exterior. ¿Te imaginas cómo crecen y florecen los bulbos de tulipanes, jacintos y narcisos tras sacarlos de un sótano frío y oscuro a una ventana cálida y soleada? Bueno, la pequeña Ah-Ni-Ghi'-To era tan solo un pequeño bulbo humano que se había mantenido en el frío y la oscuridad durante cinco meses y ahora se la sacaba a la luz del sol, por eso ella también crecía como un tulipán. Sus ojos se volvieron más brillantes y azules, y sus mejillas eran como rosas *Jack*. Creció tan rápido que muy pronto se hizo demasiado pesada para que su madre la pudiera llevar en brazos.

Después le compraron algunos perros y un pequeño trineo esquimal; lo equiparon con un cuchillo, algunas galletas y café, y un cómodo asiento, lo suficientemente grande para que pudiera sentarse bien sujeta al trineo. De este modo, Ah-Ni-Ghi'-To pudo hacer su paseo en trineo todos los días. Deberías haber visto a su tropa, con sus vivaces ojos, puntiagudas orejas y grandes colas peludas. La formaban Lassie, Lady y, a veces, Panikpah, un viejo y fiel perro negro que procedía de muy al norte, en las tierras del *gran hielo*, y había comido carne de buey almizclero. Trotaban a veces con la cabeza y la cola erguidas, mirando de vez en cuando a la niña y, con cada chasquido del látigo, se lanzaban al galope, con el conductor corriendo al lado del trineo y guiándoles por entre las rocas y los trozos de hielo. Siempre parecían comprender que cuidaban de un bebé, porque nunca intentaron escapar, como solían hacer con sus amos esquimales.

Ahora ya hacía mucho mucho frío; más frío incluso que durante la larga noche de invierno, pero, envuelta en sus cálidas pieles, la pequeña Ah-Ni-Ghi'-To no lo sentía.

Muchos nativos vinieron a ver a la niña blanca. Las mujeres le besaban las manos y se hizo amiga de todos los extraños bebés morenos que asomaban la cabeza bajo la capucha de sus madres, y es que los bebés esquimales no tienen cunas, ni nada por el estilo, así que sus madres los cargan todo el tiempo en grandes capuchas de piel sobre sus espaldas.

Pronto Ah-Ni-Ghi'-To empezó a hablar esquimal, y decía «ta koo» (mira), «atu do» (más), y nunca decía sí y no, sino «ah-py» y «nag-ga». Pronto, también, tuvo un compañero de juegos, un niño esquimal de unos cinco o seis años, cuyo padre había sido atacado por una morsa salvaje a la que había arponeado y que luego lo había arrastrado al agua, ahogándole. Su madre también había muerto. Su nombre era Nip-San-Gwah, aunque todos lo llamaban Kood-Look-Too, que significa «el niño huérfano».

Le tenía mucho cariño a Ah-Ni-Ghi'-To y trataba de seguirla cuando iba en su trineo. Qué extraño parecía con su gorda y redonda carita, sus vivaces ojos negros y sus pantalones cortos de piel de oso. Le hacía pequeños iglús de nieve, o casitas, como en la que había vivido con su padre y su madre, y cogía un látigo y trataba de mostrarle cómo conduciría a sus perros cuando creciera un poco.

A veces, Kood-Look-Too fingía que era un niño blanco y se vestía con ropa usada para parecerse, según él creía, a un niño así. Si tuvo éxito o no, puedes juzgarlo por ti mismo en la imagen.

Y no nos olvidemos de E-Klay-I-Shoo, o Miss Bill, como la llamaban. Era la niña esquimal, de unos doce años, que cuidaba de Ah-Ni-Ghi'-To. Miss Bill nunca tuvo en su vida un vestido ni un sombrero, pero vestía un abrigo de piel de foca, pantalones cortos de piel de zorro o *nanookies* y largos *kamiks* o botas de piel de foca. Kood-Look-Too y su padre adoptivo Nook-Tal, vivían con el resto de la familia en una pequeña tienda redonda, o *tupic* de piel de foca, sujeta con grandes piedras alrededor para resguardarla del viento que soplaba fuera.

El sol seguía ascendiendo en el cielo y calentando cada día más, hasta que finalmente no se puso ni de día ni de noche; la nieve se derretía y las rocas y el suelo se secaban.

Era un buen momento para Ah-Ni-Ghi'-To. Sus pieles permanecían guardadas, y vestía con gruesas y cálidas ropas de lana; un gorro para proteger su tierno rostro del sol, ya que incluso aquí arriba el sol y el viento en verano podían quemar la piel, y así ahora podía estar al aire libre casi todo el tiempo. Podía gatear y arrastrarse un poco, así que tenía mucho que hacer. Detrás de la casa había una pendiente de grava donde buscar bonitas piedras redondas, rojas y blancas. Mientras gateaba por ella con su vestido gris parecía un pequeño monje.

Tenían un montón de cachorritos para alimentar y jugar; cachorritos tan regordetes, suaves y juguetones que resultaba difícil pensar que cuando crecieran se harían grandes y un día, incluso, podrían luchar contra el gran oso polar blanco. Héctor, el gran San Bernardo, venía a que la niña le acariciara la cabeza, pero le tenía un poco de miedo porque era grande y fuerte, y algo bruto en su forma de jugar.

También estaban las flores, amarillas, moradas y blancas, que podían recogerse y jugar con ellas.

Los días en que no hacía casi viento y el sol brillaba intenso, Ah-Ni-Ghi'-To tomaba su baño de sol al aire libre. Extendíamos una piel de venado sobre la grava para evitar que las piedras afiladas lastimaran sus tiernas extremidades y sobre ella gateaba jugando con vistosas piedrecillas y parloteando con el sol, los cachorros y las flores, hasta que su piel se volvía rosada como la mañana. Así fue como Ah-Ni-Ghi'-To pasó los días soleados de los meses de verano: junio, julio y hasta bien entrado agosto.

A veces la llevaban a Baby Lake, una hermosa y pequeña laguna en el valle, a unos cientos de metros de la casa, y desde la cual descendía el murmullo de un arroyo a través de la hierba y las rocas hasta la punta de la bahía.

Se ve que en esos baños de sol absorbía la vitalidad del verano porque no hubo nunca bebé más feliz, ni temperamento más luminoso y sonriente que el de ella.

Por fin, un día de finales de agosto, el mismo gran barco oscuro que había traído al padre y a la madre de Ah-Ni-Ghi'-To al País de las Nieves apareció sobre la bahía, abriéndose paso a través del hielo, esparciéndolo en todas direcciones; justo la forma en que una máquina quitanieves atravesaría un gran desnivel y se detendría frente a la casa.

Así Ah-Ni-Ghi'-To y su madre se llevaron a Bill y a algunos de los cachorros a bordo del barco y partieron de nuevo hacia el sur para llevar a Ah-Ni-Ghi'-To a ver a sus abuelas y a su tía, que aún no la conocían.

Cuando Miss Bill abandonó su País de las Nieves para venir a Estados Unidos con Ah-Ni-Ghi'-To y su madre, dejó también a su papá y mamá y dos hermanas, que estaban muy orgullosos de que ella fuera a la tierra de los hombres blancos y así poder observar los animales, los árboles, las casas y la gente cuyas fotografías habían visto en las revistas. Al cabo de un año, cuando el barco regresara a por el padre de Ah-Ni-Ghi'-To, Miss Bill volvería para contar a su gente todas las cosas extrañas que había visto.

Para cuando llegaron a Filadelfia, Ah-Ni-Ghi'-To había comenzado a hablar y llamaba Billy-Bah a Miss Bill. Así es como es conocida hoy entre su gente: Billy-Bah. Tenía unos doce años, y nunca en su vida había visto una casa más grande que la casita negra de una planta donde la cigüeña trajo a Ah-Ni-Ghi'-To de bebé. Tampoco había visto nunca un arbusto o un árbol, ni tampoco un caballo o una vaca, un carro o carruaje, un tren y sus vagones o una máquina de vapor.

Nunca se había bañado hasta que la madre de Ah-Ni-Ghi'-To la obligó a hacerlo a bordo del barco, y tampoco podía entender por qué tenía que lavarse y peinarse todas las mañanas.

Al llegar a Filadelfia, Ah-Ni-Ghi'-To, su madre y Billy-Bah, se dirigieron a la estación de ferrocarril. Los ojos de Billy-Bah casi se le salían de las órbitas al ver lo que ella llamó caballos, que eran como grandes perros tirando del carruaje y los altos iglús (las casas de los esquimales) que bordeaban las calles. La estación, dijo, era el iglú más grande y mejor que había visto en su vida, y no quería abandonarla. Cuando vio que una locomotora tiraba de un tren de vagones, se aferró a la madre de Ah-Ni-Ghi'-To y le preguntó qué clase de animal era y si se comería a las personas. Tiempo después de que arrancase el tren que las llevaba al encuentro con la abuela y la tía de Ah-Ni-Ghi'-To, Billy-Bah se sentó con ambas manos agarrando el asiento delantero, mirando con asombro los árboles y los vallados que parecían pasar volando.

Esta oscura damita, la más joven de su aldea, al llegar a la tierra del sol y la abundancia, debía aprenderlo todo, igual que Ah-Ni-Ghi'-To. Primero a hablar, pues por supuesto no sabía hablar inglés, luego aprender a comer, porque su gente en el País de las Nieves no come más que carne. Debía aprender que las comidas se servían a horas regulares, que nos bañábamos a diario y nos acostábamos y nos levantábamos a horas determinadas.

Todo esto era nuevo para ella, pues en su país la gente come cuando tiene hambre, carecen de mesas y sillas, y nunca cocinan. A veces, cuando hace mucho frío, cortan en rodajas los trozos de carne congelada que almacenan en el suelo de sus iglús y los sumergen en agua calentada sobre sus lámparas.

Cuando tienen sueño, se acurrucan en cualquier lugar y se duermen. No sabían lo que era bañarse hasta que vieron al padre y a la madre de Ah-Ni-Ghi'-To. De hecho, ni siquiera se lavaban la cara, aunque esto quizás se debiera a que el agua era muy escasa durante la mayor parte del año. Todo está congelado, y su único fuego y luz es la que obtienen de su *ikkimer*.

Esta *ikkimer*, o lámpara, es un plato de piedra poco profundo, en cuyo centro se amontonan pedazos de grasa, y en el borde se coloca musgo seco. Este musgo hace de mecha y al derretirse la grasa esta se enciende sobre el pedernal. Es la única fuente de calor y luz que se encuentra en una choza esquimal.

Billy-Bah ha tenido que aprender por triste experiencia que no podía dejar sus juguetes en ningún lugar de las calles de Washington y volver a encontrarlos horas después, como podía hacerlo en su propio país.

Cuando Santa Claus visitó a Ah-Ni-Ghi'-To, también lo hizo a Billy-Bah por primera vez en su vida. Le trajo muchos juguetes y también cosas útiles. Estaba encantada con el árbol de Navidad y con los juguetes de Ah-Ni-Ghi'-To, pero no parecía importarle en absoluto los suyos, casi ni los miraba, si bien cuando le comunicaron que era hora de irse a la cama, preguntó si podía llevarse todos sus regalos a la habitación. Se le dio permiso y se alejó trotando, realizando tres viajes antes de reunir todas sus cosas bien seguras allá arriba. Una hora más tarde, la madre de Ah-Ni-Ghi'-To notó luz en la habitación de Billy-Bah y al abrir la puerta vio a la pequeña esquimal sentada en el suelo con todos sus tesoros alrededor celebrando su primera Navidad.

Le gustaba mucho coser para su muñeca y, cada vez que se hacía algo para Ah-Ni-Ghi'-To, Billy-Bah creaba lo mismo para su muñeca. Para cuando regresó a su casa, ya era toda una costurera. Su baúl era un arca de Noé nada común y corriente. Todo lo que le iban regalando durante su estancia iba a parar cuidadosamente a él con la intención de llevarlo a casa y mostrarlo a sus amigos.

En julio se decidió que el gran barco navegaría hacia la tierra del sol de medianoche para traer a casa al padre de Ah-Ni-Ghi'-To y Billy-Bah regresaría con su familia. Le ponía muy feliz pensar en su hogar, pero a la vez deseaba que Ah-Ni-Ghi'-To también fuera con ella.

Cuando regresó a su País de las Nieves, hubo gran regocijo entre su gente, y se ofrecieron festines con excelente carne cruda de morsa, foca y oso en honor de la joven miembro de la tribu que había visto salir y ponerse el sol todos los días durante el tiempo de un año completo.

Unas dos horas después de llegar, se vio a Billy-Bah con un trozo de carne que pesaba más de dos kilos, disfrutando de su primera comida de verdad en un año.

Mientras el padre de Ah-Ni-Ghi'-To aún permanecía en el País de las Nieves, cierto día, tras haber estado cabalgando en su trineo durante varias jornadas en compañía de algunos de sus esquimales cazadores de osos, llegó a una montaña, en la que encontró un gran pedazo de roca de hierro marrón que muchos años atrás había caído del cielo y con el que los esquimales habían fabricado sus cuchillos.

Los esquimales llamaron «Mujer» a este pedazo de hierro, porque sus bisabuelos les habían dicho que a su vez sus bisabuelos dijeron que cuando cayó por primera vez del cielo parecía una gran mujer morena. Ahora se había magullado tanto para hacer cuchillos que su forma había desaparecido, pero aun así los esquimales creían que el espíritu de la mujer permanecía en ella. Cerca había un trozo de hierro más pequeño que había sido su perro en algún lugar de las estrellas.

Tan maravillosas eran estas enormes piezas de hierro que el padre de Ah-Ni-Ghi'-To decidió que le gustaría llevárselas a América, donde todos pudieran verlas, así que, cuando el barco regresó a por él, *la mujer morena* y su *perro* fueron arrastrados sobre las rocas, la nieve y el hielo hasta el barco y subidos a bordo. Cuando el padre de Ah-Ni-Ghi'-To trajo a casa las dos piedras nacidas del cielo, *la mujer* y *el perro*, les dijo a varios caballeros científicos de Nueva York que aún quedaba en el País de Nieve otra piedra mucho más grande que había caído al suelo desde el cielo junto con *la mujer* y su *perro*. A esta otra la llaman los aborígenes *Tupic* o tienda de la mujer, y los caballeros científicos llamaron a estas piedras *meteoritos* y se mostraron muy ansiosos de hacerse también con el más grande.

Así que en 1897 Ah-Ni-Ghi'-To, con su padre, su madre y su niñera de color, Laura, abordaron de nuevo el barco y navegaron hacia el País de las Nieves para traer a casa la última de las piedras.

Ah-Ni-Ghi'-To tenía ahora casi cuatro años y ansiaba con placer volver a ver el País de las Nieves y a todas esas extrañas gentes morenas. Rumbo al norte, Ah-Ni-Ghi'-To disfrutó del viento fresco, no se mareaba y nunca se cansaba de admirar los hermosos icebergs que pasaban flotando. Se hizo una escala en Godhavn, al sur de Groenlandia, para conseguir agua potable.

Aquí los nativos son casi como los blancos. Han estado viviendo con las familias danesas que ocupan esta parte de Groenlandia durante tanto tiempo que se han vuelto bastante civilizados, tanto en apariencia como en modales. Los daneses los obligan a ir a la escuela y a la iglesia y de esta manera van creciendo, sabiendo más cada día.

Habían conocido a Ah-Ni-Ghi'-To cuando ella y su madre volvían del País de las Nieves hace tres años y Ah-Ni-Ghi'-To tan solo tenía un año. Ahora estaban ansiosos por volver a verla y se agolpaban en el barco, llevándole toda clase de regalos y recibiendo otros a cambio.

La niñera Laura era la primera mujer de color que estos nativos habían visto en su vida, y la consideraban toda una gran curiosidad. La invitaban a todas partes junto con Ah-Ni-Ghi'-To, pero Laura tenía miedo de aceptar cualquier cosa de estas personas de aspecto tan extraño hasta que Ah-Ni-Ghi'-To y su madre la acompañaron para convencerla de lo amables y afanosos que se mostraban todos por complacerla.

Sucedió que ahí no había niños daneses, sino multitud de pequeños esquimales, todos deseosos de ver la muñeca que era Ah-Ni-Ghi'-To y de jugar con ella. Pasaron solo unas pocas horas aquí, y luego Ah-Ni-Ghi'-To y Laura fueron llevadas al barco en un pequeño bote y así el gran barco puso rumbo al norte nuevamente.

El sol ya no se ponía ahora, por eso Ah-Ni-Ghi'-To podía ver en todo momento su gran rostro brillando sobre ella. Era muy agradable, pues, aunque hacía bastante frío, Ah-Ni-Ghi'-To pasaba la mayor parte del tiempo en cubierta envuelta en sus pieles, observando las gaviotas que volaban en círculos alrededor del barco y las focas que no dejaban de asomar sus negras cabezas para contemplar con los ojos abiertos y asombrados el gran barco negro que venía deslizándose sobre el agua hacia ellas. Las focas son pequeñas criaturas divertidas, tan llenas de curiosidad que, cuando ven algo que se les acerca, mantienen la cabeza fuera del agua hasta que el objeto está cerca de ellas; luego se sumergen rápidamente, pero vuelven a subir a una distancia más segura para reanudar su observación. A menudo son arponeadas por los nativos, que sujetan una vela blanca en la parte delantera del kayak (barco de piel) de tal manera que parece que flotara un trozo de blanco hielo. A esa vela se le hace un pequeño agujero a través del cual el cazador espera su oportunidad. La curiosidad de la foca se apodera de ella, y ya no se zambulle a tiempo para esquivar el arpón que se dispara desde detrás de la lona blanca. Los esquimales son muy aficionados a la carne de foca y las pieles se utilizan para su vestimenta.

Ah-Ni-Ghi'-To pensaba en lo extraño de que llegara la hora de acostarse cuando el sol aún brillaba intensamente. Dijo que era imposible dormir por la noche al no haber noche, así que su madre le hizo la noche en su pequeño camarote con un gran sombrero de fieltro suave que pertenecía a su padre colocándolo en el ojo de buey por el que entraba la luz. Ah-Ni-Ghi'-To se mostró bastante satisfecha y se durmió profundamente hasta la hora del desayuno. Cuando llegó el momento de levantarse, quitó el sombrero y, ¡oh!, la habitación se inundó de luz solar. Al poco tiempo, Ah-Ni-Ghi'-To llamaría: «Madre, es de día, hora de levantarse».

En la cabina crepitaba un buen fuego, y Laura pensó que era maravilloso estar tan cómoda junto a un fuego en pleno verano, pero, cuando se despertó una mañana y descubrió que nevaba con fuerza, le pareció que esto era sin duda lo más extraordinario que había conocido en su vida. ¡Nieve en agosto! «Si le cuento esto a mi gente, no me creerán; pensarán que estoy bromeando», dijo.

Por fin llegaron al País de las Nieves, y los esquimales se mostraron locos de alegría cuando vieron el barco, porque todos amaban al padre de Ah-Ni-Ghi'-To y sabían que les había traído muchos regalos útiles. Todos querían ver a Ah-Ni-Ghi'-To, y las mujeres se mostraban particularmente ansiosas por observar cuánto había crecido y si todavía era tan blanca. Para comparar a los niños, una mujer trajo a su retoño, un niño pequeño, cuyo cumpleaños era el mismo que el de Ah-Ni-Ghi'-To. Cuando vio cuánto más grande era Ah-Ni-Ghi'-To que su hijo, se acercó con una sonrisa al lado de la madre para mostrar cuánto era también más alta la mujer americana que ella, y señalando al padre dijo: «No es de extrañar que la Bebé de las Nieves sea tan alta». En ese momento subió a bordo otro barco lleno de esquimales, y ¿quién estaba entre ellos?... No quería quedarse en cubierta con los demás, y preguntó si podía bajar al camarote con Ah-Ni-Ghi'-To. Una vez lejos de su gente, Billy-Bah habló en inglés con ella sobre las personas que había conocido en su casa y Ah-Ni-Ghi'-To le preguntó cómo estaba Héctor, el gran perro San Bernardo, y si aún tenía al pequeño gatito que Billy-Bah solía llevar a la cama todas las noches. Después jugaron a las muñecas y miraron juntas los libros ilustrados. Billy-Bah le regaló a Ah-Ni-Ghi'-To varias figuras de marfil de hombres, mujeres, perros, osos, morsas y focas que ella misma había tallado con dientes de morsa.

El padre de Ah-Ni-Ghi'-To hizo que desembarcaran varios barriles de galletas para distribuirlas entre los nativos, y todos a bordo se mostraron ansiosos por bajar a tierra y obtener su parte. A Billy-Bah le habían dicho que la propia Ah-Ni-Ghi'-To le daría galletas, té y azúcar, por lo que se contentó con permanecer a bordo. Solo un hombre se negó a bajar a pesar de que le informaron que si no iba no recibiría ninguna galleta. Al hablar con él se supo que era el marido de Billy-Bah, pues temía que si desembarcaba el barco zarpara con su mujer y sin él. El padre de Ah-Ni-Ghi'-To le aseguró que ese no sería el caso, y rápidamente se unió a los demás en los botes.

El esposo de Billy-Bah estaba muy orgulloso de su mujer, pues, además de haber viajado al país del hombre blanco y haber visto cosas maravillosas, era una de las mejores costureras de la tribu, y conservaba la ropa de su esposo, así como la suya propia, en perfecto orden, aunque solo tenía quince años, aunque Ah-Ni-Ghi'-To lamentó ver que se mantenía tan sucia como sus compañeros. Parecía pensar que ya se había bañado lo suficiente mientras estuvo en casa de Ah-Ni-Ghi'-To como para que le durase toda la vida.

Cuando el padre de Ah-Ni-Ghi'-To hubo seleccionado a los esquimales que le ayudarían a mover la gran piedra caída del cielo, el viejo barco volvió su proa hacia la isla

Meteorito, donde yacía esta masa de hierro. Nevaba tan espesamente que no se podía ver a lo lejos, y Ah-Ni-Ghi'-To debió creer estar navegando a través de las nubes porque, cuando miró a lo lejos, no pudo ver alrededor más que remolinos de nieve arriba y abajo. El barco avanzaba muy lentamente, tanteando el camino con cuidado para evitar chocar con los icebergs flotantes, muchos de los cuales se habían divisado antes de que cayera la nieve. Por fin llegaron a salvo a la isla, y el padre de Ah-Ni-Ghi'-To, con la ayuda de los esquimales, comenzó de inmediato la búsqueda del gran meteorito. Todo estaba enterrado bajo la nieve, que seguía cayendo espesa. Sin embargo, pronto encontraron la gran roca de hierro que se limpió de nieve, tras lo cual se inició el trabajo de acercarla al costado del barco, lo que no era cosa fácil debido a que pesaba casi cien toneladas.

Trabajaron durante toda una semana. Los esquimales, con el padre de Ah-Ni-Ghi'-To a la cabeza, trabajaban de noche —ya sabéis que era de día todo el tiempo, incluso cuando estaba nublado—, y el capitán del barco, con sus hombres, lo hacían durante el día.

La gran piedra de hierro tenía la forma de las tiendas esquimales, por eso los indígenas la llamaban *tupic*. Mientras trabajaban, parloteaban todo el tiempo preguntándose qué podría haber hecho la mujer para que la expulsaran del cielo con su perro y su tienda. Billy-Bah le comentó a Ah-Ni-Ghi'-To que había escuchado a su bisabuelo decir que su abuelo le dijo que cuando estas piedras cayeron del cielo por primera vez estaban al rojo vivo, pero, después de que se enfriaran, se parecían simplemente a otras de los alrededores. Nadie de ellos pensó que eran diferentes, hasta que un día uno de los oscuros cazadores de la tribu disparó su última flecha a un oso polar, y el animal, aunque herido, logró escapar, dejando al cazador sin flechas. Este se apresuró a llegar a la orilla para buscar piedras afiladas con las que hacer nuevas puntas de flecha. Cuando se encontró con las piedras nacidas del cielo, se le ocurrió que tal vez le podrían dar suerte y, tomando otra grande, comenzó a golpear con ella una de las afiladas crestas marrones de hierro. Dondequiera que golpeaba, la capa marrón se salpicaba de plata, pero, en lugar de poder astillarla, el canto con la que golpeaba se deshacía en pedazos, tras lo cual se puso a buscar por todas partes un trozo de piedra más duro que el que había estado usando. Al cabo de mucho tiempo encontró uno y, dirigiéndose de nuevo hacia el meteorito, comenzó a golpearle y astillar, hasta que por fin vio con alegría que estaba haciendo mella en la roca de hierro. Tras horas y horas de arduo trabajo, logró sacarle una astilla. ¡Cómo brillaba a la luz del sol! Era mucho más de lo que había esperado. Si le cortaba el dedo simplemente pasándolo por el borde, ¡cuánto más apto sería para herir a un animal cuando se lo lanzase desde la proa! Trabajó una y otra vez hasta que tuvo suficientes astillas o lascas para hacer la punta de la flecha, tras lo cual se fue a probar suerte. No escapó ni un animal. Tan cierto como que hirió a un oso, a un zorro y a una foca con la flecha, haciéndolos suyos. Y cuanto más usaba la hoja más afilada se volvía, hasta que le vino al pensamiento que esta piedra de hierro podría ser mejor cuchillo que los de piedra y marfil de los que usaba su gente, si es que consiguiese tener éxito en lograr arrancar más pedazos.

Regresó con su gente y les contó la buena suerte que le había traído la piedra nacida del cielo. Luego les mostró la resplandeciente punta de flecha afilada, y todos estuvieron de acuerdo en que se podían elaborar buenos cuchillos con esta piedra de hierro. Así que todos los nativos partieron juntos y caminaron mucha distancia, hasta que llegaron frente a un gran río de hielo llamado glaciar. Esta gran corriente de hielo desciende lentamente por la ladera de la montaña y empuja grandes montones de piedras y tierra. De entre estas piedras, los nativos seleccionaron adoquines duros y lisos de lo que llamamos detritos, pero que ellos conocían solo como piedras muy duras.

Cargando sus trineos con sus tiendas de campaña y tantas de estas piedras como podían llevar, viajaron sobre la nieve y el hielo hasta la isla Meteorito. Aquí acamparon y, mientras las mujeres levantaban las tiendas y las ponían a punto, los hombres limpiaron la nieve de las piedras y se pusieron a trabajar. Durante muchos «sueños», como dicen los esquimales, golpearon, martillaron y trabajaron hasta dar forma a unas cuantas puntas de flecha y también a unos toscos cuchillos. La cacería duró una semana y apenas podían creer lo que veían cuando, transcurrido ese tiempo, contemplaron el número de animales sacrificados: más de los que les habían tocado en suerte en toda una temporada. Casi todos los cazadores podrían tener ropa de piel nueva, y cada familia estrenaría una piel de venado, suave y cálida para la cama.

Otros esquimales que vivían a cientos de kilómetros de esta costa oyeron hablar de los maravillosos cuchillos y flechas elaborados con piedras enviadas por el cielo, pero, como no tenían perros y trineos suficientes para llevar a todos los cazadores y sus familias donde estaban esas piedras, solo media docena de los hombres más fuertes seleccionaron los mejores perros y trineos, y partieron hacia la montaña de hierro prometiendo traer un pedazo de ese hierro lo suficientemente grande como para fabricar cuchillos y puntas de flecha para todos. Primero se detuvieron en uno de los grandes glaciares y recogieron un trineo lleno de esas rocas de detritos, luego fueron a la isla Meteorito. Estaban encantados con los cuchillos y las puntas de flecha que sus amigos les habían mostrado orgullosos y, cuando se les advirtió de lo letal que era la punta de flecha y se les mostró el montón de carne obtenida en la caza, no esperaron a escuchar más y se apresuraron hacia la mujer de hierro, ansiosos por comenzar su tarea. Trabajando sin descanso, consiguieron hacerse con suficientes lascas de metal para puntas de flecha y cuchillos, pero parecía tarea imposible sacar a golpes la gran pieza que habían prometido traer de vuelta con ellos. Se afanaron largo y pacientemente, astillando y golpeando día tras día, mientras el sol que regresaba seguía ascendiendo en el cielo, y los días se hacían más largos, y el aire, más cálido.

La gran capa de hielo marino cubierta de nieve sobre la que los cazadores habían conducido a sus perros y trineos comenzaba a ablandarse bajo las caricias del sol de verano. Charcos de agua comenzaron a acumularse como frescas sombras verdes en la superficie blanca, mientras que numerosas motas negras en la sábana blanca mostraban dónde dormían las focas que tomaban el sol junto a las oquedades que se abrían a las profundidades del mar. Pronto el hielo se desharía y mudaría, y los cazadores no podrían regresar con sus familias hasta que llegara de nuevo el invierno ártico, lo que no ocurriría hasta dentro de tres o cuatro meses. Esta idea no les agradó, por lo que redoblaron sus esfuerzos para romper el gran bulto sobre el que habían estado trabajando y, cuando estaban a punto de darse por vencidos, la cabeza de la mujer de hierro se desprendió. Esta cabeza podría haber pesado más de doscientos kilos y proporcionar a la gente de la costa durante mucho tiempo todo el hierro que necesitaban para flechas y cuchillos. El precioso bulto fue colocado en uno de los trineos y cuidadosamente envuelto en pieles de foca. Dos de los cazadores se deslizaban junto a él para cuidar que no resbalara y también para arrear a los perros, diez de los mejores y más fuertes animales de la manada. Los otros trineos fueron cargados con la carne y las pieles de los animales que habían muerto durante su estancia en la isla, tras lo cual el pequeño grupo partió alegremente hacia casa.

Se encontraron con que la capa de hielo estaba muy fundida en algunos lugares y, a menudo, tan solo cubierta sobre el agua por nueve o diez centímetros de grosor, por lo cual los perros casi tenían que nadar y tirar de los trineos. Mientras cruzaban una de estas frágiles planchas, de repente, los perros que tiraban del trineo que transportaba el preciado hierro rompieron el hielo. Por un breve momento lucharon por asirse a un punto de apoyo en las placas rotas, aullando lastimosamente de terror, pero al instante el trineo con su pesada carga de hombres y hierro se estrelló contra ellas y todo, hombres, perros y hierro, se sumergió despedido en el agua. La fuerza del peso del trineo hundió todo bajo el hielo, pues no se volvió a ver a hombres ni perros.

Todo esto fue considerado por los indígenas como el castigo del espíritu de la mujer de hierro por destruir la piedra, y desde entonces a hoy se considera de mala suerte intentar mover cualquiera de las piedras restantes.

Esa fue la razón por la que los esquimales, tras comunicarles que se llevaría las maravillosas piedras a su país, advirtieron al padre de Ah-Ni-Ghi'-To que no las tocara porque seguramente le pasaría algo terrible. No obstante, cuando vieron que estaba decidido a llevarse los meteoritos, le ayudaron a moverlos y llevarlos a la nave, pero se negaron a subirlos a bordo.

Mientras se realizaba el trabajo de arrastrar el bloque de hierro hasta el barco, Ah-Ni-Ghi'-To se divertía de lo lindo. Una vez que el sol volvió a brillar, y la nieve se derretía con rapidez, pasaba tiempo en la orilla, recogiendo flores y bayas que crecían entre las rocas y las laderas. Las mujeres esquimales le construyeron iglús de juguete como los suyos, y le enseñaron diferentes juegos con los que ella y Laura se divertían junto con los niños vestidos con pieles marrones.

Tras muchos días, la *tupic* de hierro estaba lista para ser embarcada. Todo en la nave había sido estibado y la bodega del barco llena de pedruscos, sobre los cuales debería descansar la piedra de hierro.

El padre de Ah-Ni-Ghi'-To había construido una pasarela desde la orilla hasta el barco, apoyada en una gran abertura en la cubierta, llamada escotilla, por donde entró la gran piedra a la bodega del barco. La pasarela fue construida con grandes vigas de roble tan largas como la altura de un árbol, y sobre las vigas se dispuso una vía de ferrocarril. Para extraer la piedra de hierro del lecho helado en el que había estado tanto tiempo, primero se levantó lo suficiente como para deslizar bajo ella un pesado trineo de fuertes vigas de roble, atornillado con largos pernos y calzado con hierro.

Para levantar tan pesada masa de hierro —pues el *tupic* pesaba casi cien toneladas—, se usaron poderosas máquinas llamadas gatos, y con su ayuda el gran trineo de tan pesada carga pudo ser empujado hasta el final de la pasarela. Se untó los raíles con grasa y, mientras los poderosos gatos empujaban, se ayudaba a tirar con fuertes cuerdas amarradas desde la máquina de vapor al trineo. El meteorito había sido atado a su base con pesadas cadenas y recubierto con una gran bandera estadounidense. Se le dijo a Ah-Ni-Ghi'-To que debía bautizar la gran piedra marrón con una botella de vino tan pronto como empezara a moverse, así que cuando se dio la señal de comenzar se colocó junto a su padre y el trineo. Su madre y el capitán comenzaron a bombear los gatos; el motor resoplaba, las cuerdas se enderezaban y el gran puente comenzó a gemir y crujir. Parecía como si nada pudiera conseguir que el meteorito abandonara su hogar, pero al fin un gran grito de los hombres celebró que el trineo se movía lentamente, y la botella de vino se estrelló mientras la pequeña madrina decía: «Te llamo Ah-Ni-Ghi'-To».

Una vez en movimiento, la gran piedra avanzaba lenta, pero constante, sobre la pista engrasada, hasta que se apoyó sobre la escotilla abierta. Fue entonces cuando los hombres dieron tres hurras por Ah-Ni-Ghi'-To, la pequeña madrina, y tres más por su padre, que había superado todos los obstáculos y por fin había logrado subir a bordo el meteorito más grande conocido.

Los esquimales se quedaron en tierra observando todo con sumo interés, pero no pudieron ser persuadidos para subir a bordo del barco. Estaban convencidos de que el barco se hundiría y todo se perdería, al igual que los hombres, el trineo y los perros que habían descabezado a la mujer de hierro.

Fueron necesarios algunos días más de trabajo para colocar al monstruo involuntario en la bodega del barco, tras lo cual el padre de Ah-Ni-Ghi'-To avisó que no debían demorarse más, porque ya comenzaba a formarse hielo nuevo en la bahía y en poco tiempo sería demasiado denso para que el barco se abriera paso, lo que les podría obligar a pasar el invierno en el País de las Nieves. Como no era esa la intención, ni se estaba preparado para ello, todos se sintieron algo ansiosos por alcanzar de nuevo mar abierto. Un nuevo problema esperaba a Ah-Ni-Ghi'-To y sus amigos: se levantó una terrible tormenta y el barco se balanceó y tembló hasta que pareció como si la piedra de hierro fuera a atravesar su costado. Por supuesto, el padre de Ah-Ni-Ghi'-To dispuso algunos hombres vigilando todo el tiempo para observar el más mínimo cambio, pero había sido estibado de manera tan segura que nada se movió.

Ah-Ni-Ghi'-To se alegró mucho cuando por fin pasó la tormenta y se calmaron las grandes olas porque había experimentado su primer mareo y no le gustó nada. Tras la tormenta, el clima se volvió más templado y el padre de Ah-Ni-Ghi'-To le anunció que podrían visitar la Bowdoin Bay donde había nacido, asunto que le complació mucho. Sabía que la casita negra donde la había llevado la cigüeña había sido quemada, pero Baby Lake, la pendiente de grava, los grandes acantilados negros del monte Bartlett y el enorme glaciar blanco eran todos viejos amigos, por lo que deseaba volver a verlos.

Antes de llegar a la bahía, la nieve había comenzado a caer y, para cuando se llegó al lugar de nacimiento de Ah-Ni-Ghi'-To, Bowdoin Bay, varios centímetros de nieve lo cubrían todo. Aun así, su padre y su madre la llevaron a tierra y, en el lugar donde una vez estuvo la negra casita, sacudió la nieve y recogió un puñado de grandes flores amarillas. Arriba de la pendiente extrajo unas cuantas piedritas blancas y redondas, y luego visitó el pequeño lago, en el que encontró tres bonitos patos nadando; aunque tan pronto como hizo su aparición esa pequeña figura cubierta de pieles, volaron hacia las colinas, y tan solo los escarpados acantilados marrones de la gran montaña la miraban con ceño fruncido. A lo lejos, la superficie del blanco glaciar refulgía a través de la nieve que caía. Como la tormenta arreciaba regresaron al barco.

Se despidió de todos los esquimales, con la promesa de regresar algún día, y así el barco puso rumbo a casa.

Había sido un verano muy inusual, con mucha nieve y tormentas que desplazaron al sol de su lugar habitual. Los nativos lo atribuyeron a la extracción de la montaña de hierro, y le dijeron al padre de Ah-Ni-Ghi'-To, cuando se despidieron de él, que temían no volver a verlo nunca más, porque estaban convencidos de que el barco, con todos a bordo, iría a parar al fondo del mar. Estaban muy angustiados, rogándole que bajara la piedra a tierra, y así evitar la mala suerte que seguramente les sobrevendría. Su padre trató de asegurarles que el barco llegaría sano y salvo a casa, pero aun así parecieron muy tristes cuando el barco se alejó.

Durante un tiempo era como si el clima se hubiera unido al espíritu maligno que los esquimales habían predicho que protegería a la piedra de hierro. El viento y el mar juntos hicieron todo lo posible para liberar al gran meteorito golpeándolo contra los costados del barco o haciendo girar y levantarse a la nave.

Sin embargo, el buen barco resistió todo ataque, y finalmente el viento tormentoso mudó en una brisa favorable que alisó las olas sobre un mar sonriente.

Ah-Ni-Ghi'-To ahora se dirigía a casa, y el barco navegaba con buen rumbo hacia el sur, deteniéndose solo en un puerto para recoger a bordo a un grupo de caballeros que habían pasado el verano estudiando las rocas y los ríos de hielo. Aún más al sur, se hizo otra parada para recolectar fósiles. El padre de Ah-Ni-Ghi'-To la llevó con él a los yacimientos de fósiles, como llamaban los científicos a la ladera donde estos se encontraban y le mostró las piedras planas de pizarra que, cuando se abrían, tenían dibujos de hojas y ramitas en su superficie interior. Le dijo que hace muchos muchos años siempre era verano en este lugar donde ahora siempre era invierno; que el suelo sobre el que se encontraba estaba cubierto de helechos y flores en lugar de nieve y hielo, y que, al igual que había visto a su madre aplastar las flores que había recogido en los lugares soleados de los intersticios de las rocas, entre las hojas de los libros para preservarlas y poder mostrárselas después en casa a los amigos, así estos helechos y alargadas hojas habían sido aplastados por el viento y la lluvia entre capas de barro, que con el tiempo se convirtieron en piedra. Por eso ahora los sabios que abrían con sus martillos estos libros de piedra, o fósiles, podían reconocer qué tipo de plantas y árboles crecían en aquel tiempo por aquí.

Al cabo de unas pocas horas, Ah-Ni-Ghi'-To estaba de nuevo rumbo al sur y la siguiente parada fue un pueblito llamado Umanak, formado por tan solo una docena de viviendas. Tres familias danesas se habían asentado en este lugar, pero solo en una de ellas había niños, cinco en total, y nunca en toda su vida habían visto antes a otro niño blanco. Estaban encantados con Ah-Ni-Ghi'-To. Cada uno trataba más que el otro de ganarse su favor y, aunque Ah-Ni-Ghi'-To no podía entender ni una palabra de su idioma, tampoco ellos podían entender una sola del de ella; sin embargo, pasaron juntos una tarde de lo más feliz. Los juguetes de Ah-Ni-Ghi'-To eran tan nuevos para ellos como lo suponían para ella los pintorescos cachivaches, caseros en su mayoría. Eran unos pequeños bien amorosos, generosos, de buen corazón, y querían regalarle a Ah-Ni-Ghi'-To todo lo que le llamaba la atención. Tenían divertidas muñequitas hechas de trapos y vestidas como una niña esquimal, con largas calzas de piel, con el lado de pelo pegado a la pierna y, sobre estas, botas de piel de foca curtida; pantalón corto de piel de foca, con el pelo por fuera y ribeteado en la parte delantera con tiras de cuero de colores. El cuerpo cubierto con una blusa de lana, con la forma de uno de nuestros suéteres, pero forrada con plumas. La parte inferior de la blusa estaba adornada con una cinta. Para el cabello usaban algas, que se ataban con una cinta ancha en un moño alto.

Las muñecas no eran bonitas, pero sí extrañas y diferentes a cualquiera que Ah-Ni-Ghi'-To hubiera visto antes y estos pequeños las querían tanto como Ah-Ni-Ghi'-To a sus hermosas muñecas de porcelana, con cabello real y que pueden abrir y cerrar los ojos. Insistieron en darle una de sus muñecas para que se la llevara a casa, por lo que ella se sintió muy conmovida por este regalo y les dijo que lo guardaría siempre en recuerdo de aquellos pequeños extraños que fueron tan amables. Ella a su vez les dio naranjas, que conocieron por primera vez. Uno de los pequeños, de unos siete años, no se convenció de que se trataba de una pelota, sino de una fruta buena para comer, hasta que no peló una.

Cuando probaron la naranja, ya no podían esperar a pelar la siguiente antes de comérsela, así que Ah-Ni-Ghi'-To, viendo que les gustaba tanto esta nueva fruta, les envió un cesto lleno, todo lo que le quedaba, tan pronto como regresó al barco. Por su parte los esquimales de este lugar le trajeron a Ah-Ni-Ghi'-To lindas botitas de piel de foca y pantuflas decoradas con trozos de cuero de colores; también botes de juguete y trineos modelados a semejanza de los grandes que usaban ellos. Laura también recibió su ración de presentes, pues era ella motivo de una gran curiosidad, tanto para los esquimales como para los blancos. Algunos de los nativos nunca habían oído hablar de la existencia de gente de color.

Hacia el atardecer, Ah-Ni-Ghi'-To se despidió de sus nuevos amigos, prometiéndoles visitarles si alguna vez regresaba al País de las Nieves.

A medida que el barco navegaba hacia el sur, se aproximó gradualmente a la zona donde el sol se pone cada tarde y sale todas las mañanas. Esto no le gustaba nada a Ah-Ni-Ghi'-To, pues ahora no podía salir a cubierta tras la cena, como tenía por costumbre, ni podía tener luz de día en su camarote cuando quisiera simplemente descorriendo la vieja cortina de la diminuta ventana redonda. A cambio, tenía la luna y las estrellas para hacerle compañía durante la noche.

Una mañana (era el 12 de septiembre), Ah-Ni-Ghi'-To se despertó y encontró en un pequeño estante junto a su cama un hermoso pastel cubierto de chocolate. Era su pastel favorito, y sobre él cuatro velas de colores ardiendo brillantemente. ¿Qué significaba esto? Significaba que ese día, hacía cuatro años, la cigüeña había llevado a la pequeña Ah-Ni-Gho-To junto con su padre y su madre hasta aquella negra casita de allá arriba en el País de las Nieves, así que este era su cumpleaños. Todos los caballeros a bordo del barco, a quienes ella llamaba sus «hermanos», se acordaron de la niña, y sus regalos eran bien diferentes a los que había recibido en sus otros cumpleaños. Encontró anillos, un medallón, una cadena y una cruz de marfil. Todo había sido tallado por los esquimales. Luego halló dos pieles de zorro blanco y dos pieles de zorro azul, mitones de piel de foca, zapatos y pantuflas, un manguito y una pieza para el cuello hechos de plumas, así como una hermosa colcha también de plumas, ribeteada con hermosas pieles verdes y negras de cuellos de pájaros. Pero lo más divertido de todo era una gran muñeca esquimal, casi tan alta como la misma Ah-Ni-Ghi'-To, vestida como un cazador, con sus pantalones y abrigo de piel de foca, su capucha de piel sobre el rostro al más puro estilo esquimal. ¡Qué feliz fue la niña ese día! Por la tarde invitó a sus amigos, a quienes llamaba sus hermanos, a compartir su pastel y todo aquello que se encontraba en el montón de «golosinas». ¡Qué bien lo pasaron en la pequeña cabina! Todos deseaban a Ah-Ni-Ghi'-To mucha felicidad en ese día; el capitán izó las barras y estrellas en el palo mayor y el maquinista dio cuatro fuertes toques con la bocina del barco. Esto, dijo, era para permitir que todas las focas y morsas, incluso los osos polares, si hubiera alguno a distancia tal que los pudieran oír, supieran que había una celebración a bordo del barco y que Ah-Ni-Ghi'-To, la Bebé de las Nieves, cumplía cuatro años ese día. Si oyeron los bocinazos, no hicieron ninguna señal, porque no se veía ningún animal.

Todavía faltaba una semana de navegación para llegar a la costa estadounidense, y Ah-Ni-Ghi'-To empezó a desear llegar a casa, donde había dejado a su familia de muñecas, pues tan solo se había llevado a la mayor con ella. «Deben de extrañar el cuidado de una madre, pobrecitas, y yo también las añoro. Me pregunto qué les dirán a sus nuevos hermanos esquimales que les traigo. Espero que les gusten, aunque no sean unas bellezas. También estoy ansiosa por contar a todos mis seres queridos lo bien que lo he pasado, y mostrarles mis nuevos regalos y entregarles las curiosidades que he traído para ellos desde el País de las Nieves».

Por fin divisamos la costa y hacia el atardecer llegamos a ella. Esa noche, Ah-Ni-Ghi'-To durmió en un hotel con sus padres sintiendo muy extraño dormir en una cama que no se mecía de un lado a otro y despertarse en la noche sin oír el constante y monótono latido del motor, junto al susurro de las olas contra los costados del barco, que había sido su compañía constante durante casi tres meses.

Todavía quedaba un largo viaje que hacer en tren, tanto que Ah-Ni-Ghi'-To creía que nunca terminaría.

Pero, por fin, con un tañido de campana y una bocanada de vapor, el largo y polvoriento tren entró en la estación y allí, entre una multitud ansiosa, Ah-Ni-Ghi'-To vio a su tía y el rostro amable y bondadoso de su querida y anciana abuela, ambas felices de encontrar a su bebé sana y salva.

Desde luego había mucho que escuchar y mucho que contar; regalos que dar, amigos por ver, y su propia familia de muñecas que cuidar, y nuevos miembros que ser presentados a ella, así que para cuando llegó la noche ya era una Ah-Ni-Ghi'-To tan cansada que su madre la acostó en su blanca camita.

«Buenas noches, querida madre —dijo—. Me lo he pasado muy bien, y me alegro de haber vuelto a ver el País de las Nieves, y a Billy-Bah, y a los marrones esquimales, y a esos queridos niños que me obsequiaron un muñeco esquimal, aunque no supieran hablar inglés o alemán. La botadura del meteorito fue muy divertida, y también me gustó el gran barco y nuestro pequeño camarote, así como mis hermanos mayores del barco, pero me gusta más la casa de la abuela. ¿Y a ti?».

NIÑOS DEL ÁRTICO

I

Si alguien hubiera invitado a Ah-Ni-Ghi'-To a volver al País de las Nieves el día siguiente del regreso a casa de su abuela, no le hubiera hecho caso en ese instante. Había tanto que decir, hacer, ver y aprender que en su opinión no era posible destinar tiempo para otra visita a aquella lejana tierra.

Sin embargo, el verano siguiente, cuando su padre se fue de nuevo en el gran barco negro a la tierra donde vivían todos aquellos extraños amigos de Ah-Ni-Ghi'-To vestidos de pieles y descubrió esta vez que ella y su madre iban a quedarse en casa, sintió un gran nudo en la garganta y algo parecido a lágrimas en sus ojos.

Pero ahora tenía casi cinco años, y el padre le dijo que pronto debería ir a la escuela y aprender mucho para cuando él regresara y, si se portase como una niña muy buena, e hiciese justo lo que mamá dijera, él le diría a Papá Noel que le trajera una hermana. Eso le complació a Ah-Ni-Ghi'-To porque deseaba mucho un compañero de juegos y prometió hacer todo lo que le dijeran. Así que el padre se hizo a la mar.

Durante todo ese verano, Ah-Ni-Ghi'-To vivió en una granja donde todo era nuevo para ella. Había conejitos para acariciar, pollos para alimentar, nidos para cazar, vacas para llevarlas a pastar por la mañana y traerlas de vuelta en la noche, mantequilla para batir, flores para recoger y clasificar, así que realmente había tantas cosas por hacer de las que ella nunca había conocido que los días apenas eran lo suficientemente largos.

Rápidamente el verano llegó a su fin y Ah-Ni-Ghi'-To regresó a casa de la abuela y a su jardín de infancia, al que tenía mucho cariño. Luego llegó la Navidad trayendo muchos juguetes bonitos para ella, y un poco después, al volver del jardín, Ah-Ni-Ghi'-To encontró un día a esa hermanita querida esperándola. Al principio creyó que la había traído el padre y le decepcionó saber que había sido enviada, aunque traía una carta de su querido papá en la que le decía que debía ser muy buena para con ella y darle buen ejemplo, así que comenzó de inmediato a adoptar el papel de hermana mayor.

Durante todo el invierno y la primavera, y hasta bien entrado el verano, Ah-Ni-Ghi'-To fue una niña feliz. La hermana crecía cada día para convertirse en una compañera de juegos, y ambas pequeñas pasaron momentos felices juntas; a veces en la cama, a veces en el suelo, y a menudo en la arena blanca y cálida de la costa. Pero una mañana la hermana no se encontraba bien y no le apetecía retozar con Ah-Ni-Ghi'-To. Se quedaba quieta y solo sonreía a veces, demasiado enferma para disfrutar de la diversión. A la noche siguiente se fue a dormir y ni los besos de Ah-Ni-Ghi'-To pudieron despertarla. Pobre Ah-Ni-Ghi'-To, este fue su primer dolor y casi se le partió el corazón.

Pasó mucho tiempo antes de que pudiera convencerse de que era mejor para su hermana ser un ángel en el cielo, donde no padecería dolor y donde Ah-Ni-Ghi'-To podría reunirse con ella algún día y así no separarse de nuevo jamás.

Parecía que los días felices de Ah-Ni-Ghi'-To habían terminado por un tiempo, pero poco después el gran barco negro que había zarpado hacia el País de las Nieves al comienzo del verano para llevarle al padre de

Ah-Ni-Ghi'-To noticias de ella y su patria había regresado con la triste noticia de que había sido atrapado por el cruel Jack Frost,[2] durante el frío y oscuro invierno allá arriba en el País de las Nieves y tenía los pies congelados. Aunque sus cartas le comunicaban a Ah-Ni-Ghi'-To y a su madre que estaba bastante bien por ahora, ellas tenían sus dudas, y Ah-Ni-Ghi'-To dijo: «Oh, madre, ¿no podemos ir con él? Creo que necesita que lo cuidemos». Su madre se mostró de acuerdo en que, cuando el barco partiera de nuevo al norte el próximo junio, ella y Ah-Ni-Ghi'-To también irían.

Ah-Ni-Ghi'-To no podía comprender por qué tenían que esperar tanto. ¿Por qué no ir de una vez? Había olvidado por completo que en el lejano norte la larga y fría noche daba comienzo ahora y todo el mar estaría congelado durante cuatro meses sin luz solar: solo la tenue luz de las estrellas y, una vez al mes, la luna. Cuando el verano llegase de nuevo con su luminoso y cálido sol para derretir el hielo y permitir que el barco se abriera paso, ella podría ir hacia él. Ah-Ni-Ghi'-To tenía ahora seis años e iba a la escuela, pero todo su tiempo libre lo dedicaba a prepararse para la próxima visita a su padre en el País de las Nieves.

Hizo muchos álbumes de recortes y muñecos de papel (con docenas de vestidos) para regalar a los niños daneses que habían sido tan amables con ella cuando el barco de su padre se detuvo en sus pueblos de camino a casa con la gran piedra. Guardaba cuidadosamente

2 Figura proveniente de la mitología nórdica y anglosajona. Personaje de leyenda que encarna la iconografía del invierno: nieve, heladas, hielo, escarcha. Su figura que a veces encarna la furia del frío está muy presente en la cultura popular desde el siglo XIX y ha protagonizado relatos y películas.

todos sus céntimos para poder comprar más regalos para sus muchos amiguitos. Pasó el invierno y la primavera, y por fin llegó el día, 7 de julio, en el que Ah-Ni-Ghi'-To se despidió de su abuela y su tía, prometiendo regresar a principios de otoño y tal vez traer a su padre también.

II

En el camino para unirse al barco, se detuvo para despedirse de su tío de Nueva York y de su querida abuela en Portland, Maine. Aquí también prometió regresar para el otoño y, si fuera posible, llevar a su padre con ella.

Su más ferviente deseo era ahora abordar el barco y escapar, lo que hizo realmente el 20 de julio en Sidney, Cape Breton.[3] Antes de ir a dormir esa noche escribió en su diario:

> *20 de julio de 1900*
>
> Albricias, por fin mi madre y yo nos ponemos en camino para ir a ver a mi padre. Me pregunto cuánto tiempo

3 Ciudad y puerto en la costa este de la isla Cape Breton, en Nueva Escocia, Canadá.

nos llevará. Apenas puedo esperar. Tenemos camarotes tan pequeños que una de nosotras debe quedarse en la cama mientras la otra se viste. Todo está muy limpio y cómodo y yo tengo un gatito con el que jugar. Creo que me gustará nuestra sirvienta, también. Es la esposa del intendente y nunca antes ha estado más lejos de Terranova, excepto para ir en los barcos de pesca a Labrador. Allí pasan el verano pescando bacalao y viven durante el invierno

Durante la primera semana el tiempo estuvo despejado, pero bastante frío. Al menos Ah-Ni-Ghi'-To y su madre ya sabían que era como lo que ya habían conocido antes de dejar su hogar.

El viejo barco, llamado Barlovento, navegaba muy lento, por lo que era de agradecer cuando soplaba una brisa que henchía las velas y ayudaba a los motores a empujar el barco.

Desde Sidney navegaron por el golfo de San Lorenzo, a lo largo de la costa de Terranova hasta el estrecho de Belle Isle. Luego, a través del estrecho, hasta pasar el último faro, y todo a lo largo de la costa de Labrador. El 29 de julio se entregaron cartas para su casa a un pescador que pasaba, quien prometió llevarlas al correo en la población más cercana de Labrador donde atracase el barco. Fue la última oportunidad de Ah-Ni-Ghi'-To para enviar noticias a casa de sus seres queridos hasta que ella misma pudiera regresar el próximo otoño. En una de sus cartas escribió lo siguiente:

SS Barlovento, 29 de julio de 1900
Mi querido tío: casi todos los días han estado bien.

En el estrecho de Belle Isle pasamos por entre grandes placas de hielo. Me alegra que haya sol porque el capitán Bartlett, a quien quiero mucho, dice que por ahí también hay rocas. Si nuestro barco embistiese cualquiera de ellas las destrozaría y fácilmente podríamos lanzarnos contra ellas si la niebla fuera espesa y no pudiéramos ver al frente.

Mi gatita es muy salvaje y no viene a mí, aunque la alimento con leche y pan, y hago grandes esfuerzos para convertirme en amiga de ella. El capitán es muy alegre y consigue que me divierta. Me ha instalado un columpio en cubierta, y cuando nuestro barco no se balancea demasiado paso buenos ratos allí.

Percy, la criada, dice que nunca vio jugar a los niños, que de donde ella proviene solo se sientan tranquilamente con las manos en el regazo. Me alegro de no vivir en ese lugar. Le estoy enseñando a jugar con mis muñecas de papel y jugar al té, pero como se siente mareada la mayor parte del tiempo no nos llevamos muy bien.

Mi madre y yo junto con Percy estamos en un extremo del barco, mientras que el capitán y sus hombres están en el otro. Vivimos en lo que se llama la cabina de popa, y el capitán y sus oficiales en la de proa, pero los marineros están en el castillo de proa. Como puedes ver, hay bastante distancia a lo largo del barco, así que puedo hacer tanto ruido en mis juegos como quiera sin que nadie pueda oírme. Percy nos sirve las comidas en nuestro camarote, y es como si mamá y yo viviésemos solas en el barco.

El capitán viene a veces para jugar a las damas conmigo, lo cual es muy amable de su parte. Le voy a llamar capitán Sam, porque mi padre ya ha tenido otros dos capitanes con el nombre de Bartlett.

Hoy llueve y hace bastante frío así que los pobres marineros parece que intentan refugiarse dentro, pero dicen que es un buen día para pescar y deben intentar conseguir todo lo que puedan. Mi madre compró suficiente pescado para la cena y el desayuno. Ahora debo acabar, porque el capitán Sam está esperando nuestro correo.

Con mucho amor y muchos besos de tu Ah-Ni-Ghi'-To.

P. D.: No tenemos ninguna noche de verdad ahora. Es de día durante casi todo el tiempo.

Tan pronto como el marinero se dejó caer en su bote con el correo, el Barlovento siguió su camino, aunque la neblina y los vientos del norte lo retuvieron unos días frente a la costa de Labrador. Cruzaron el estrecho de Davis entre una tormenta de viento que se mantuvo durante días, y en cierta ocasión, mientras la madre de Ah-Ni-Ghi'-To le estaba leyendo en la cabina, llegó una ráfaga de viento mucho más salvaje que cualquier otra y fue seguida por un gran estruendo en cubierta: era una lluvia de vidrios rotos de la claraboya de la cabina, junto con los gritos del capitán a sus hombres y el ajetreo de los marineros obedeciendo sus órdenes. La madre de Ah-Ni-Ghi'-To se asustó y a punto estuvo el vaso de caer cuando la niña le gritó: «Sigue con lo tuyo, madre». Había estado en tantas tormentas en el mar que ya no sentía tanto miedo, así que se tomó lo que sucedía a bordo como algo normal.

El capitán Sam dijo después que el barco había sido arrojado sobre las olas como una pelota, y se había acercado tanto a un gran iceberg por culpa de la tormenta y la niebla que, cuando el hombre que estaba al acecho lo vio, hubo que dar la vuelta por la ruta más corta y rápida para evitar que el barco se hiciera pedazos contra sus heladas aristas. Esto ocasionó que los sacos de carbón amarrados en cubierta se soltaran y se deslizaran por ella, destrozando todo a su paso. Cuatro horas después, el barco navegaba en un mar tranquilo bajo un sol ardiente.

El racimo de plátanos que llevaban para su padre estaba ahora tan maduro que hubieron de comérselos, para deleite de Ah-Ni-Ghi'-To que tomó un puñado de ellos y los llevó a cubierta para repartirlos entre los marineros. Algunos de ellos nunca antes los habían probado.

III

Unos días más tarde se hizo la primera escala en Groenlandia, en Godhavn,[4] la capital del país. Justo frente al puerto, el capitán hizo subir al barco con su kayak de piel y todo a un esquimal que remaba hacia el barco. El capitán Sam esperaba conseguir así algo de ropa de piel de foca que había pedido Ah-Ni-Ghi'-To para su padre.

El sol brillaba las veinticuatro horas, por lo que no había noche en absoluto.

Cuando la madre de Ah-Ni-Ghi'-To le informó que Godhavn era la capital de Dinamarca en Groenlandia, Ah-Ni-Ghi'-To replicó: «¿Así como Washington es la capital de Estados Unidos? Ay, madre, qué gracioso es mirar aquí y ver tan solo unas pocas casas de madera de solo un piso y medio de altura, una diminuta iglesia con la campana de la escuela en la parte superior, y luego solo montones de hierba con una

4 Hoy Qeqertarsuaq, ciudad y puerto en la costa sur de la isla Disko al oeste de Groenlandia. Fue fundada con el nombre de Godhavn por el ballenero Svend Sandgreen en 1773, y en la época de las exploraciones de Peary era la capital del norte de Groenlandia bajo administración danesa.

ventana pegada en cada uno y una chimenea a un lado. ¡Y pensar que esta ciudad es la capital!».

Pero es cierto. Solo el inspector de la Groenlandia danesa, el gobernador de Godhavn y un asistente con su familia son las únicas personas blancas en la «ciudad».

«Los montículos de turba», como los llama Ah-Ni-Ghi'-To, son las chozas nativas. Tienen solo un piso de altura y están construidas de piedra y musgo, la mitad fuera y la otra mitad bajo tierra. La turba con la que se amalgama las piedras se deja crecer hasta que apenas se pueden ver por la hierba. Algunos de los perros de la casa casi siempre duermen encima de estas chozas, y esto origina que aún parezcan más simples montones de hierba.

El gobernador danés impone que los hijos de estos nativos asistan a la escuela y la iglesia. El maestro es también el predicador, y es por lo general un groenlandés nativo que fue formado en esta misma escuela cuando era un niño

Ah-Ni-Ghi'-To andaba decepcionada porque eran las dos de la mañana cuando se echó el ancla y todos en tierra andaban dormidos. El capitán indicó que no había tiempo que perder y que se bajaría a tierra de inmediato, sin esperar la hora de levantarse, y ver si el gobernador los recibiría. Mientras él estaba en tierra, algunos de los nativos, que habían sido despertados por el silbato del Barlovento, subieron a bordo para averiguar de quién era la nave y si había alguna posibilidad de intercambiar sus cosas, kayaks y trineos por café, azúcar y bizcochos.

Entre ellos había un viejo nativo, llamado Broberg, que había visto a Ah-Ni-Ghi'-To cuando esta era una bebé, y aún otra vez cuando tenía cuatro años. Había conocido primero a su padre en 1886, así que le preguntó por él en su inglés entrecortado. A Ah-Ni-Ghi'-To le divirtió mucho y escribió en su diario:

> *10 de agosto*
> Llegué a Godhavn a las dos de la mañana, pero no pude desembarcar. Vi a algunos de los ancianos esquimales que ya había conocido antes. Uno de ellos era muy divertido. Su nombre es Broberg. Se acercó a nosotros, nos estrechó la mano a mi madre y a mí, y nos dijo: «Me alegro mucho de verles. Tú estar muy alta ahora y yo verte muy bien. Espero que encuentren a Peary igualmente bien. Iré a mi casa a por unos *kamiks*. Tus diminutos pies se mantendrán bien calientes en buenos *kamiks*. No frío, tú esperar. Yo traer».
>
> Mamá se burlaba de mí comentando que él dijo: «Eres bastante mala ahora», y no «bastante alta», pero lo hizo porque no me conoce lo suficiente.

Mientras el viejo Broberg iba a ver si podía «pillar» un par de tibios *kamiks* (botas forradas de piel) para Ah-Ni-Ghi'-To, reconoció a algunos de sus viejos amigos, que en cuanto supieron que era el barco de Peary, y que Ah-Ni-Ghi'-To iba a bordo, mostraron su alegría llevándole lo mejor que tenían, y también querían que ella bajara a tierra para visitar a los pequeños.

Un hombre trajo a su familia cerca del barco para que Ah-Ni-Ghi'-To pudiera ver qué buenos hijos tenía. El niño de tres años calzaba *kamiks* cortas de cuero blanco con largas medias de piel de foca que le llegaban hasta el muslo, pero la parte superior de los pantaloncitos sobre las botas estaba cubierta con un encaje blanco como la nieve hecho de muselina. Sus pantaloncillos de piel de foca llevaban en la parte delantera de cada pierna bandas de cuero blanco bordado en rojo y su prenda superior, a modo de suéter, parecía como de calicó rojo y blanco estampado, bordeado alrededor del cuello y las muñecas con el negro, suave y cálido plumaje negro del pato Eider. El bebé también estaba vestido al estilo de los bebés de por ahí con los pies y piernas embutidos en un saco bolsa de piel recubierto como de blanco calicó.

Ah-Ni-Ghi'-To los complació tomándoles fotos mientras estaban allí al lado. Casi todos los nativos de la Groenlandia danesa usan ropa de tejidos caseros, porque intercambian sus pieles y grasa con los daneses que les gobiernan y enseñan.

Al poco rato regresó el capitán Sam. Con él venía el inspector y el gobernador. Ah-Ni-Ghi'-To se enteró de que los niños daneses que había conocido aquí en su última visita ahora vivían en otro lugar, y que de las dos actuales familias danesas en Godhavn solo una tenía hijos. A ellos les envió frutas y dulces, y dijo que esperaba verlos a su regreso, porque ahora mismo el capitán tenía prisa por partir mientras durara el buen clima, y no había tiempo para visitas.

El viejo Broberg regresó, pero no había podido «pillar» el par de *kamiks* para Ah-Ni-Ghi'-To, por lo que se sentía apenado y deseaba que el capitán esperase hasta que sus hijas pudieran hacer un par, ya que dijo que «eran costureras muy rápidas». Pero, por supuesto, era imposible.

Justo cuando el Barlovento se hallaba listo para partir y había emitido su silbido de «adiós», un mensajero de la esposa del gobernador subió hasta la nave para entregar a Ah-Ni-Ghi'-To un hermoso collar de marfil como recuerdo.

IV

Algunos días después, aun cuando estaba despejado, Ah-Ni-Ghi'-To no podía ver el agua, tan solo lo que parecía nieve. Era como si el Barlovento se hubiera detenido entre las pesadas placas de hielo cubiertas de nieve. Pero el luminoso sol, que había estado brillando sobre todo ello día y noche durante meses, no era lo suficientemente fuerte como parecía. Cuando el barco le asestó un fuerte golpe, la placa se estremeció en pedazos y el viejo Barlovento los empujó a los lados y siguió adelante. La luz del sol en estas grandes superficies de hielo cubiertas de nieve era tan cegadora que Ah-Ni-Ghi'-To se vio obligada a llevar oscuras gafas de cristal ahumado todo el tiempo.

Aunque el progreso fuera lento, Ah-Ni-Ghi'-To sabía que cada noche cuando se acostaba a dormir se hallaba un día más cerca del campamento donde esperaba encontrarse con su «querido papá» a quien no había visto en más de dos años.

Atravesaron por fin la siempre temida bahía Melville, llena de icebergs y grandes placas de hielo. El capitán Sam confiaba en que el agua del norte se encontrara libre de las grandes láminas de hielo. Ya no temía a los gigantes y blancos icebergs porque el sol resplandecía durante las veinticuatro horas sin ponerse, y así podrían mantenerse lejos de su camino. Sabía manejar bien el viejo barco cuando navegaba junto a uno de estos «palacios del Rey de Hielo» y aprovechaba para llenar los tanques de agua fría y pura en los charcos que se formaban donde se había derretido el hielo por los rayos calientes del sol.

A veces, Ah-Ni-Ghi'-To contemplaba cómo esas grandes masas de hielo se convertían en «cascadas mortales», como ella las llamaba. Estaban causadas por el desgaste que hacía el agua en las laderas del témpano hasta que iba derritiendo la parte superior en agua más clara y el témpano se desplomaba sobre la superficie del mar. Al principio con un ruido sordo y bajo; luego, a medida que avanzaba, convirtiéndose en un rugido, como el sonido creciente de un tren acercándose. Esto era seguido por la ebullición y formación de espuma en el agua (llena de trozos de hielo desprendidos) hasta donde alcanzaba la vista, incluso lograba romper enormes olas sobre la orilla.

El pobre y ajado «Palacio de Hielo» rodaba una y otra vez; se balanceaba y balanceaba tambaleándose hasta recuperar por fin el equilibrio. Pero ahora la parte que antes había estado bajo el agua se había dado la vuelta sobre ella y resplandecía como plata pulida, dibujando en medio un montón de pequeños colores del arco iris, justo ahí donde el sol hacía brillar las gotas de agua de mar.

Así se quedaría de momento hasta cuando volviera a ser pesada la parte superior por el desgaste de las olas, y volviera a sucederle lo mismo. Cada vez se haría más pequeño, hasta que al final tan solo se convertiría en un trozo de hielo flotando ociosamente sobre el agua. Tales piezas son muy del agrado de las focas y morsas para arrastrarse sobre ellas fuera del agua fría a la cálida luz del sol, y tomar allí sus baños de sol. Debía ser una cama bien fría, pensaba Ah-No-Ghi'-To, pero todos estos animales tenían una capa de grasa bien gruesa bajo la piel que les envolvía por entero y no les hacía padecer frío.

Un día, alrededor de las cuatro, la madre de Ah-Ni-Ghi'-To subió a cubierta para echar un vistazo, cuando vio justo al lado, en un gran trozo de hielo, un hermoso oso blanco como la nieve. Había estado nadando con la esperanza de encontrar una foca o dos para su desayuno y, al llegar a este pastel de hielo, decidió subirse para estirar las piernas y tomar un buen trago de agua.

El «vigía» del barco había estado observando el hielo y el agua bajo un sol tan deslumbrante y durante tanto tiempo que no había notado al oso justo del mismo color del hielo sobre el que estaba, y así fue como la madre de Ah-Ni-Ghi'-To fue la primera en verlo y avisar al capitán.

El capitán Sam nunca se desnudaba cuando se iba a la cama mientras el barco estaba en movimiento, por lo que solo pasaron unos instantes hasta que apareció con su rifle. El pobre oso no parecía intuir que estaba en peligro porque estaba muy quieto, con la cabeza erguida olfateando el aire y observando al barco acercarse lentamente hasta él. El capitán disparó, y el oso saltó al agua y comenzó a alejarse nadando. Disparó de nuevo el capitán y, aunque el pobre bruto no se detuvo, el agua a su alrededor se puso roja y así nos dimos cuenta de que había sido herido. Otro disparo, su cabeza cayó y su cuerpo flotó en el agua. Estaba muerto. Se arrió un bote y se subió a bordo al animal que fue colgado en el aparejo para secarse antes de ser desollado.

Ah-Ni-Ghi'-To estaba muy emocionada, aunque su corazón sufría por el oso, porque todo el tiempo había esperado que el animal consiguiese escapar del tiroteo. Su madre le explicó que era necesario matar a estos animales porque su padre necesitaba la carne para alimentar a sus perros y a sus esquimales, y la piel para convertirla en ropa y ayudarle a mantenerse caliente durante el largo y frío invierno. Pero Ah-Ni-Ghi'-To todavía sentía pena por el oso.

V

Unos días más tarde se avistó Etah, el lugar donde su padre había construido su casa de invierno y Ah-Ni-Ghi'-To supo que en pocas horas estaría en sus brazos, pero le esperaba una decepción, porque apenas el barco entró en la ensenada su madre advirtió que la querida enseña de barras y estrellas no ondeaba sobre la roja casita, y le explicó que no parecía una señal segura de que el padre se encontrase allí.

Tan pronto como se echó el ancla del barco, un bote lleno de esquimales partió de la orilla para confirmar que Peary aún no había regresado, pero que había enviado cartas que estaban en la casa. El capitán Sam saltó del barco y en poco tiempo trajo las cartas del padre de Ah-Ni-Ghi'-To en las que explicaba al capitán lo que tenía que hacer en Etah y era que se dirigiese a Fort Conger, donde se reunirían con él.

Etah estaba en la costa este de Smith Sound y Fort Conger; el lugar donde el padre de Ah-Ni-Ghi'-To esperaba al barco quedaba al oeste y a casi trescientas millas más al norte. En la dirección en la que debía ir el barco, el hielo era más espeso y solo se divisaban pequeñas lagunas de agua a través de la superficie.

Tanto el capitán Sam como la madre de Ah-Ni-Ghi'-To adivinaron que había pocas posibilidades de llegar a Fort Conger en su pequeño barco. Antes de abandonar Etah, el capitán debía recoger cientos de latas de conservas, barriles de harina, cajas de azúcar, arroz, galletas, avena, etc., etc., para llevar consigo a bordo, todo lo cual había sido apilado cerca de la playa por el padre de Ah-Ni-Ghi'-To, listo para ser subido al barco tan pronto como llegara.

Todo ello tomó más de veinticuatro horas y Ah-Ni-Ghi'-To aprovechó ese tiempo para pasarlo en tierra y reunirse con algunos de sus viejos amigos esquimales y conocer a los demás. Esa noche escribió en su diario:

20 de agosto de 1900

En tierra todo el día. Eché un vistazo a la casa de mi padre. Es pequeña y está muy vacía. También visité las tiendas de campaña de los esquimales. Son lugares sucios. Siento mucho no encontrar más niños aquí. Solo uno de nueve o diez años y un bebé. Viajará en el barco con nosotros, así que supongo que lo pasaré bien. Los *adultos* pensaron que sería divertido verme saltar la cuerda del contramaestre y balancearme. Me ayudaron a recoger flores, que acabo de terminar de prensar, y me llevaron al glaciar que mi madre dice que es un río de hielo que fluye por la ladera de la montaña hacia el mar como si fuera agua, solo que se mueve muy lentamente, a no más de unos pocos metros al año. Trataron de decirme algo sobre mi padre, pero no los entendía muy bien. Le di a una de las mujeres una copa blanca y se puso muy contenta. Esperamos marcharnos de aquí por la mañana temprano y llevar con nosotros a cinco esquimales adultos y dos niños. Me pregunto si nos encontraremos pronto con mi padre.

Pobre Ah-Ni-Ghi'-To, creía que en unas horas a lo sumo la nave cruzaría Smith Sound y llegaría a su lugar de destino en la costa opuesta, cabo Sabine, a solo treinta millas de distancia, donde un depósito de suministros y carbón serían embarcados a bordo del Barlovento para su uso en caso de que fuera aprisionado por el hielo mientras intentaba avanzar hacia el norte y su gente obligada a regresar a la orilla en botes. Ocho largos días costó llegar a ese lugar, y durante todo este tiempo apenas hubo un momento en que el barco no estuviera en peligro.

A veces, las grandes placas de hielo encerraban al Barlovento y no permitían que se moviese ni un centímetro. Entonces la corriente, junto con el hielo, lo empujaba a la deriva hacia el sur. De modo que a menudo el barco al final del día estaba más al sur de lo que estaba cuando comenzó a navegar en dirección norte unas horas antes. En los momentos en los que el Barlovento iba a la deriva, estaba perfectamente inmóvil y Ah-Ni-Ghi'-To, junto con Percy y algunos de los esquimales, trepaban por la borda del barco a los remos y allí se deslizaban hasta el hielo liso para jugar. Una vez, el capitán Sam sacó dos patines noruegos llamados esquíes y con ellos se deslizó ella por las laderas de los montículos de hielo. Era un buen deporte y ayudaba a pasar el tiempo.

Hubo otros momentos que no fueron tan agradables como cuando las pesadas planchas de hielo se aplastaban contra el barco tan ferozmente que los pedazos se rompían y apilaban contra sus costados hasta que algunos de ellos caían sobre la cubierta, y entonces el barco gemía y temblaba con la presión como una persona en su dolor. A veces, el barco se abría paso entre montañas de hielo tan altas que los botes que colgaban de los pescantes tuvieron que ser remolcados para salvaguardarlos y que no fueran aplastados, al tiempo que todos los marineros se afanaban lo más rápido posible en recoger los pináculos que sobresalían para que los aparejos no pudieran ser cortados ni arrancados.

Por fin, tras ocho agotadores días en el hielo, se alcanzó el diminuto puerto. Una familia de esquimales había estado vigilando el barco desde ahí durante los últimos tres días, temiendo todo el tiempo que la nave fuera aplastada y hundida. Reinaba ahora un gran regocijo, porque los esquimales del barco no habían visto a esta familia desde principios de la primavera, y estaban ansiosos por cotillear.

Esta familia estaba compuesta por un hombre, Accom-Meding-Wah; su esposa, Ah-We-A; un hijo de siete años, Ne-Ah-Wa; y una hija de doce, Ach-Ah-Ting-Wah. El niño, aunque algunos meses mayor que Ah-Ni-Ghi'-To, todavía era casi un perfecto bebé. Su madre lo amamantaba como a un niño; pero la niña era perfecta compañera de juegos para Ah-Ni-Ghi'-To y pronto se hicieron amigas.

VI

El Barlovento se guio junto a las rocas y se amarró, y todos, excepto un vigilante destinado a descansar bien por la noche, la primera en más de una semana, se prepararon para desembarcar a la mañana siguiente el carbón y las provisiones, lo que suponía un duro trabajo para esos hombres.

Ah-Ni-Ghi'-To y su madre también se alegraron de irse a la cama, algo que no fueron capaces de hacer mientras iban a trompicones a través del hielo, porque los grandes témpanos hubieran podido aplastar la nave en cualquier momento, y cada cual tenía que estar listo para saltar del barco y dejarla.

Ahora se dieron un buen baño y le dijeron a Percy que no les despertara para el desayuno, ya que querían dormir.

A las cinco de la mañana, el capitán Sam llamó a la puerta del camarote a la madre de Ah-Ni-Ghi'-To para que se levantara y vistiera lo más rápido posible. Un viento fuerte se había levantado por la mañana y empujaba el barco contra las rocas. Cuando bajó la marea, yacía de lado sobre ellas, con solo unos pocos centímetros de agua bajo la quilla, y del otro lado, donde no había rocas, estaba mucho más hundido. Nadie sabía cuándo bajaría la marea, así que el capitán Sam tomó la decisión de que era mejor bajar a tierra lo antes posible y a todo lo de valor, ante el temor de que la nave pudiera volcar y hundirse.

La madre de Ah-Ni-Ghi'-To la despertó. En ese momento el piso de la cabina estaba casi en ángulo recto, y la inclinación tan empinada que era imposible caminar sobre él. Ah-Ni-Ghi'-To, todavía en su litera, se vistió rápidamente con su ropa más abrigada y, tras hacerlo también, la madre de Ah-Ni-Ghi'-To reunió los papeles importantes y la mayor cantidad de ropa de abrigo que pudo en una bolsa. Ah-Ni-Ghi'-To le rogaba todo el tiempo que no olvidase a su muñeca y a su gatito. Cuando estuvo todo preparado, Percy tomó la bolsa, y el capitán Sam y el intendente le ayudaron a subir a cubierta. No fue nada fácil, como algunos de ustedes pueden imaginar si tratas de trepar por una tabla con un extremo en un barril y el otro en el suelo. Una y otra vez uno u otro retrocedían, pero por fin se alcanzó la cubierta, y ahora todo lo que se podía hacer era sentarse y deslizarse por la borda hacia un bote sostenido por los marineros sobre el agua, que aquí estaba al nivel de la cubierta, mientras que el lado opuesto parecía como si estuviera justo encima de la cabeza.

Aunque era el 30 de agosto, la nieve caía tan densa que la orilla, a pocos metros de distancia, apenas se veía. Allá desembarcaron Ah-Ni-Ghi'-To, su madre y Percy.

Ah-Ni-Ghi'-To no se daba cuenta del gran peligro en que estaba el barco, por lo que su único pensamiento era pasar un buen rato junto con la niña esquimal Achatingẃah y Percy la criada. Moldearon una bola y un fuerte de nieve, a los que se disparaba con balas de cañón hechas de nieve. Cuando se cansaron del juego, se fueron a explorar un pequeño valle donde Achatingẃah le dijo que había un lago.

Se fueron alrededor de una hora y, cuando regresaron, Ah-Ni-Ghi'-To estaba muy emocionada y dijo que había visto huellas de un animal, y que Achatingẃah afirmaba que eran huellas de zorro. Las siguió a corta distancia, cuando se apercibió de que estaban atravesadas por las huellas de una liebre. Continuó tras ellas junto al acantilado, y a la vuelta de un recodo asomó la propia liebre. Estaba sentada sobre sus patas traseras, la nariz temblando mientras olfateaba; era un ejemplar hermoso, grande, blanco como la nieve excepto las puntas de las orejas, que eran negras. Ah-Ni-Ghi'-To pensó que era tan mansa como los conejitos blancos de casa, pero, tan pronto cuando ella se acercó, corrió mucho más rápido de lo que los niños pudieron seguir.

A las diez el barco estaba de nuevo a flote y fuera de peligro, aunque no del todo erguido. Como en ese momento Ah-Ni-Ghi'-To estaba muy hambrienta subieron a bordo. El intendente había encendido un fuego en la cocina de la cabina y había barrido el agua fuera, pero todo seguía mojado. Se preparó el desayuno de inmediato y al punto todos se sintieron mejor, aunque muy cansados. No había sido nada agradable levantarse a las cinco de la mañana para verse en medio de una cegadora tormenta de nieve durante cinco horas sin nada para comer o beber, y sin siquiera un lugar donde sentarse a menos que fuera sobre el suelo nevado.

Los pobres hombres que habían trabajado con el agua helada hasta la cintura estaban agotados y no se pudo trabajar más ese día.

Dos días después, todos los suministros necesarios habían sido desembarcados y el Barlovento estaba listo de nuevo para partir hacia el norte. El capitán Sam, que había estado estudiando cuidadosamente día y noche el hielo a la deriva informó a la madre de Ah-Ni-Ghi'-To que una gran banquisa había sido empujada hasta la bocana del puerto y había cerrado, por así decirlo, la puerta a la nave, por lo que nada se podía hacer. Si se rompiera la banquisa, el barco sería libre de seguir su camino, pero a menos que el viento la rompiese o se la llevase lejos de la bocana Ah-Ni-Ghi' To y su madre, con todos a bordo, quedarían prisioneros durante el invierno.

Lo que sucedió fue algo terrible, porque nadie había llevado ropa suficiente para durar tanto tiempo. Gracias al padre de Ah-Ni-Ghi'-To, había comida suficiente para todos y la propia Ah-Ni-Ghi'-To había aprendido a comer muchas cosas que nunca pensó que podría comer, y también a hacer cosas que no pensaba que eran necesarias.

Una mañana, Ah-Ni-Ghi'-To se despertó y descubrió que era 12 de septiembre. Fue motivo de gran regocijo en todo el barco, porque significaba que era su séptimo cumpleaños y el cuarto transcurrido en el País de las Nieves.

Saltó de la cama para ver qué amables amigos le había traído la ocasión y se mantuvo ocupada como una abeja durante todo el día. Escribió en su diario la historia de ese día.

VII

12 de septiembre de 1900 y mi cumpleaños

Nunca esperé pasarlo aquí cuando me fui de casa. La abuelita me prometió una fiesta, pero en su lugar mi madre me la dio aquí y he tenido un bonito día.

Cuando llegué al camarote encontré un rico pastel de chocolate, con siete velas encendidas y al lado una muñeca, ¡oh, preciosa!, vestida con lunares sobre seda rosa con una faja también rosa, blancas medias y zapatos también blancos de cabritilla. Es una de mis muñecas más bonitas y la he llamado Lois, en honor a una niña que conocí en Sidney, y que fue muy amable conmigo. También encontré un par de pantuflas de piel de foca, un bolso, una caja de bombones y dos piezas y media de oro. Los marineros le pidieron al capitán Sam que les permitiera izar la bandera en mi honor y así lo hicieron, lanzando tres hurras. Mamá hizo que el mayordomo preparara una jarra de grog caliente y cortó un gran pastel, del que repartimos una porción a todos los hombres. A la hora del té invité al capitán Sam y al ingeniero jefe a tomarlo conmigo y la mesa estaba muy bonita, con velas encendidas alrededor de mi pastel. Luego, nos divertimos jugando, pero, ¡oh, Dios mío!, cada poco tiempo no podía dejar de pensar en que si estuviera mi padre cuánto mejor sería todo. No tenía nada que dar a los esquimales salvo un poco de café y galletas, que les gustan, y algunos dulces que no les gustan tanto, pero parecían complacidos, especialmente con mi muñeca. Creían que estaba viva porque tenía cabello real y podía abrir y cerrar los ojos.

Achatingwah era la compañera diaria de Ah-Ni-Ghi'-To, y las dos niñas pasaban el tiempo felizmente juntas. El padre de esta pequeña esquimal había muerto. Una morsa lo empujó al agua y lo ahogó, pero su madre, Aweah, tenía ahora otro marido que cuidaba de Achatingwah. También tenía dos hermanos reales y un hermanastro.

Uno de sus propios hermanos era Ahngoodloo, quien, además de ser el *capitán* de todos los esquimales que trabajaron para el padre de Ah-Ni-Ghi'-To, era el esposo de Billy Bah, la niña esquimal que fue la primera cuidadora de Ah-Ni-Ghi'-To y que fue con ella a la casa de Washington donde pasó un año antes de regresar al País de las Nieves.

Ahngoodloo era uno de los dos únicos hombres zurdos de la tribu, y el mejor cazador de todos. Quería mucho al padre de Ah-Ni-Ghi'-To y siempre se quedó con él. Achatingwah también tenía otro hermano, Wee-Shá-Kup-Sie, que pasó un año en Nueva York y regresó a su país cuando el padre de Ah-Ni-Ghi'-To volvió allí por última vez. Así Achatingwah sabía más sobre los asuntos de los «Kab'loonahs» (gente blanca) que la mayoría de su tribu.

El cabello de la señora Ahngoodloo siempre estaba liso y su cara y manos limpias cuando llegaba a casa para jugar con Ah-Ni-Ghi'-To. Llevaba *kamiks* (botas) amarillas elaboradas con piel de foca curtida, y antes de subir al barco las frotaba con nieve para limpiarlas, al igual que con sus pantalones, tejidos con pieles de zorro azul y blanco, trabajados con un cuchillo hecho para este propósito de marfil de colmillo de morsa, hasta que quedaron como nuevos. Su *kapetah* (abrigo con capucha), con el que llegó al camarote, también estaba confeccionado con pieles de zorro, y su camisa de piel de pájaro parecía blanca y limpia.

Los días se volvieron cada vez más cortos, y pronto llegó el momento en que el sol dejó de brillar en el diminuto puerto, y, mirando hacia el sur, la gran bola redonda y amarilla ya no se veía en el horizonte. Significaba que proseguía su camino hacia el sur y seguiría viajando lejos del País de las Nieves hasta el 21 de diciembre. Luego volvería a aparecer, pero no fue sino hasta mediados de febrero cuando volvió a resplandecer sobre Ah-Ni-Ghi'-To y el barco.

Se había tomado la decisión de que el Barlovento permaneciera en su lecho de hielo durante el invierno, la primavera y parte del verano, por lo que todos estaban ocupados alistando las cosas lo más cómodas posible; ya que hacía mucho frío tras la desaparición del sol y el viento del norte soplaba a través de todas las rendijas.

Durante estos largos meses, la oscuridad duró todo el tiempo, a excepción de la luz de la luna y de las estrellas, que creaban profundas sombras negras en los ventisqueros y montículos de hielo, lo que hizo que Ah-Ni-Ghi'-To tuviera muchas caídas, porque el hielo parecía nivelado, pero estaba lleno de huecos y agujeros.

Achatinǵwah y los dos niños esquimales venían todos los días a buscar a Ah-Ni-Ghi'-To para ir a deslizarse y patinar con ellos, a pesar del frío y la oscuridad. Esos días aprendió muchas cosas curiosas como muestra este extracto de su diario:

> Día claro. Sin viento. Achatinǵwah y yo salimos a navegar desde las once hasta casi la una. Las estrellas brillaban. Achatinǵwah me contó todo sobre las estrellas esquimales. Yo solo conocía la Osa Mayor. Achatinǵwah dice que las estrellas como estas son una manada de renos en el cielo. Los esquimales lo llaman Took-Tok-Sue. También hay otras tres estrellas luminosas que son las piedras que sostienen en el cielo la lámpara de una mujer esquimal; también un cazador y sus perros tras un oso, y muchas más.
>
> Ojalá papá estuviera aquí para decirme cómo las llamamos nosotros. Cuando volvimos a bordo, el capitán Sam nos dijo que el termómetro en la cubierta había estado a veintidós grados bajo cero todo el día.

Nunca se alejaban demasiado del barco, y también podían corretear a bordo. En la cálida cocina, el intendente, el amable Charley, siempre estaba presto a darles una bebida caliente, y dejar que se caldearan los dedos de los pies, a pesar de amenazarles con convertirlos en carne picada si le molestaban demasiado.

Un día le dijo a Ah-Ni-Ghi'-To: «¿Por qué no haces una fiesta en el hielo? Haz que los jóvenes te ayuden a arreglar una casa y yo te ayudaré con la comida».

Fue una gran idea. Los niños tuvieron primero la intención de construir un verdadero iglú de nieve, pero, como los esquimales adultos estaban demasiado ocupados para ayudarles, pronto se dieron cuenta de que era una tarea excesiva para ellos solos. Así que Ah-Ni-Ghi'-To fue a pedirle al capitán que le prestara una de las tiendas de su padre, y que los hombres la ayudasen a montarla en la nieve.

Cuando terminaron, los niños palearon nieve blanda a los costados de la tienda tan alto como pudieran alcanzar para evitar que el viento soplara bajo la lona de la tienda.

La tarea les llevó varios días, incluida la de amueblar y decorar la sala, para lo que trajeron cajas grandes del barco que se cubrieron como mesas y las pequeñas se usaron como sillas. Las paredes estaban cubiertas de banderas, y en cada extremo se colgó un farol.

Mientras Ah-Ni-Ghi'-To escribía las invitaciones a «La casa», sus compañeros de juegos abrieron un camino a través de la nieve profunda desde la tienda hasta el barco.

Justo antes de la hora en que llegaban los invitados, Charley sacó una olla humeante llena de chocolate y tres platos llenos de pasteles, galletas y sándwiches. Ah-Ni-Ghi'-To vino después con caramelos que había preparado la noche anterior, y por último Charley puso una estufa de aceite, que colocó en un rincón de la tienda. «Porque —dijo— no es bueno que la señorita Ah-Ni-Ghi'-To y sus amiguitos esquimales estén aquí fuera con una temperatura de 20 grados bajo cero, y es que, por mucho que vayan vestidos con pieles de la cabeza a los pies, los invitados sin nada que los caliente tendrían que llevarse a la boca las cosas congeladas».

Billy, uno de los hombres del barco, actuó como mayordomo, y la fiesta fue un gran éxito. Los invitados se quedaron mientras duró la comida, y los esquimales lamieron las copas y las migas, y entre carcajadas los platos volvieron a ser llevados a bordo. Pero, cuando Charley preguntó quién ayudaría a lavar, todos estaban demasiado cansados y somnolientos.

El Barlovento ahora no podría tomarse por un barco excepto por sus mástiles y vergas. Durante semanas, los hombres habían estado ocupados cortando bloques de nieve de las banquisas para levantar un muro de nieve alrededor de la nave, unos centímetros más alto que la barandilla de su casco. Por la noche se arrojaba agua sobre esta pared hasta convertirla en hielo sólido, a través de la cual no podía penetrar el viento.

De lado a lado de este muro se estiró una lona sobre el barco a modo de cubierta, bajo la que jugaban Ah-Ni-Ghi'-To y sus amigos cuando aullaba el viento y arremolinaba tan rápido a la nieve que hacía imposible pararse contra ella.

También los nativos, en cuanto supieron que habrían de pasar el invierno aquí, insistieron en que deseaban desembarcar y construir sus propias casas, para así mantenerse mucho más calientes y con menos combustible que en el barco, ya que no estaban acostumbrados a tanto espacio y en el barco no se sentían como en casa.

Cada familia construyó su propio iglú; las mujeres trabajaban junto con los hombres. La madre de Achatinǵwah ayudó a transportar los pesados bloques para su iglú, mientras Achatinǵwah los limpiaba de nieve y aflojaba los que estaban congelados, golpeándolos con pequeñas piedras.

Tras reunir los suficientes bloques, se allanó un lugar libre de nieve, y se alegraron de tomar prestadas las herramientas del barco, porque hubiera llevado mucho más tiempo despejar el lugar con tan solo un tosco cuchillo hecho de colmillo de morsa en vez de con una pala grande.

En un extremo del espacio circular, el padre de Achatinǵwah construyó una plataforma de alrededor de medio metro de altura. Las paredes se levantaron tal como lo haría un albañil, solo que se usó turba que trajo Achatinǵwah en lugar de mortero para sellar las juntas. Cuando las paredes alcanzaron más de un metro de alto, el conjunto fue techado. Usualmente esto se hace con grandes piedras planas, pero, como el padre de Achatinǵwah tenía prisa por mudar a su familia, echó una piel de morsa por encima y la sujetó con sólidas piedras para que no se la llevase el viento. Después de todo esto, el iglú se cubrió densamente con nieve, y el interior se revistió con pieles de foca.

La puerta, o entrada, tenía apenas medio metro de altura y se abría a un pasadizo largo y bajo que terminaba en un vestíbulo tan alto como el iglú en sí mismo. Este pasadizo y vestíbulo lo construyó el padre de Achatinǵwah con bloques de nieve.

Los nativos dejan sus *kapetahs* (abrigos) de piel de zorro en este pasillo si están cubiertos de nieve, porque si los entraran al cálido iglú la nieve se derretiría y llevaría mucho tiempo secar el pesado pelaje de sus trajes.

Tras dejar las pieles en la plataforma del pasillo, Achatinǵwah trajo dos lámparas esquimales con las que calentar e iluminar el iglú. Estas lámparas de esteatita habían sido talladas por su padre con su cuchillo, y tenían la forma de nuestros recogedores. Fueron llenados con pequeños trozos de grasa unidos a una yesca de musgo seco que al prenderlo y encenderse derretía la grasa. Estas lámparas debían ser atendidas todo el tiempo, o su humo pronto cubriría todo con un hollín grasiento.

En la parte superior del iglú, sobre las lámparas, la madre de Achatinǵwah colgó una especie de bastidor de celosía, amarrando palos con tendones para que los miembros de la familia pudieran colgar a secar sus medias mojadas, guantes y camisas.

Al lado de cada lámpara se dispuso un recipiente oblongo, también hecho de esteatita, para derretir la nieve y beberla como agua. Los esquimales nunca usan el agua para ningún otro propósito. Nunca oyeron hablar de un baño hasta que llegaron el padre y la madre de Ah-Ni-Ghi'-To. A lo más que llegaban alguna vez era a limpiarse la cara con una piel de pájaro grasienta.

Achatinǵwah ayudaba ahora a su madre a traer al iglú las pieles de osos, venados y foca, y esparcirlas sobre el suelo para que la familia pudiera instalarse para pasar el invierno.

Sobre las lámparas de piedra, la madre de Achatinǵwah cocinaba la comida y toda la familia dormía sobre la plataforma. Durante los días en que hacía demasiado frío y había tormenta para volver al barco, esta plataforma era el patio de recreo de Achatinǵwah y su hermanito, donde se divertían con figuritas de hombres y mujeres, trineos tirados por perros de juguete, canoas, osos, focas, zorros, morsas y otros extraños animales del País de las Nieves, tallados por su padre a partir de dientes de morsa o bien se jugaba a la «Cuna del gato», convirtiendo a Toó-Loo-Ah en cuervo,

Ter-Ia-Níah en zorro, Oo-Kud'-Ah en liebre, y Ka-Lil'-O-Wah en el gran narval, con cuerdas hechas de tendones. A veces jugaban al boliche con una copa de delgado marfil y una bola de hueso con dos agujeros perforados.

Por la noche, se acurrucaban cálidamente bajo las gruesas y pesadas pieles, abrazándose estrechamente mientras escuchaban a su padre y a su madre hablar de Tor-Nar'-Suk el malvado, o como Nan-Nook'-Soak, el gran oso blanco, se había llevado y comido a uno de sus parientes.

Muy contentos estaban de que el Oo-Miak'-Soah (barco) estuviera tan cerca como para asustar a Nan-Nook'-Soah, de lo contrario, a cada rugido del viento contra su choza les hubiera hecho pensar que era él quien empujaba su gran cabeza de pequeños ojos, lengua roja y largos dientes contra la entrada y tras ellos.

IX

Después de construir los iglús de piedra y hielo, los hombres levantaron cabañas de nieve donde sus perros pudieran encontrar refugio de los feroces vientos del norte, aunque, excepto cuando soplaba el viento, los perros esquimales preferían acurrucarse en la nieve antes que hacerlo dentro.

Los trineos y arneses se dispusieron sobre estas cabañas, donde los perros no pudiesen alcanzarlos, ya que cuando se sueltan estos perros esquimales mastican todo lo que puedan encontrar, por muy bien alimentados que estén.

Los esquimales de la costa vivían en un asentamiento bastante pequeño, y sus visitas al barco animaban las cosas a bordo. Ah-Ni-Ghi'-To ya hablaba ahora el idioma esquimal perfectamente, y todos los nativos eran sus amigos. Se vestía exactamente como ellos, excepto que llevaba una camiseta interior de lana en lugar de la camisa de piel de pájaro. A menudo su madre la buscaba durante varios minutos antes de darse cuenta de que andaba junto al barco con sus compañeros esquimales, pero si estaba de espaldas no era asunto fácil reconocer a la niña blanca entre los niños vestidos de pieles.

En febrero su madre enviaba cartas a casa para sus seres queridos a través de los esquimales que las llevaban a un lugar donde los barcos balleneros se detenían en su camino para pescar las enormes ballenas negras. Así, si el viejo Barlovento seguía atrapado por el hielo hasta que fuera demasiado tarde para regresar a casa el próximo verano, las abuelas, tíos y tías sabrían que todos estaban bien, a pesar de que el barco no podía desembarazarse del hielo.

Ah-Ni-Ghi'-To envió esta carta a casa:

21 de febrero de 1901

Querida abuelita, tía y tío: me temo que se preocuparán al no saber de mí durante tanto tiempo, así que aprovecho esta primera oportunidad para escribir esta carta. Iré pronto, espero. Deseo mucho verlos a todos. Juego en el hielo todos los días y lo paso bien con Billy y los niños esquimales. A pesar de estar durante tantos días en el hielo, lo hemos pasado bien, pero quiero verlos a todos.

Contaré cómo pasé mi Navidad. Una semana antes empezamos a preparar las fiestas. Madre horneó toda una pila de pan con pasas y corté quince medias de encaje que atamos con estambre rojo. Los llenamos de dátiles, cacahuetes, chocolates, caramelos caseros, dulces, un dólar de plata, palomitas de maíz, ciruelas pasas y naranjas.

La víspera de Navidad subí a las ocho al castillo de proa con Charley y le dimos a cada hombre media hogaza de pan de pasas, y un gran caldero de chocolate para todos. Vitorearon y aplaudieron y los dejé para disfrutar de su fiesta.

Jugué al parchís con mamá y el capitán hasta las diez, luego colgué la media y me fui a la cama. Por la mañana estaba llena. Salté de la cama y encontré en ella varias monedas, dos piezas de cinta rosa, un libro, una muñeca y sus vestidos, y una caja de bombones. Estaba encantada, y ya solo podía desear que papá, abuelita, tía y tío estuvieran aquí para ver lo feliz que soy.

Algo más tarde, mientras estaba en cubierta, jugando con los niños esquimales y Billy, Maksangwah me entregó una hermosa tarjeta y una caja de cuentas del señor Warmbath.

Alrededor de las dos de la tarde, mi madre me llamó para decirme que era hora de invitar a todos al camarote para recoger sus calcetines de Navidad. Cuando bajamos, allí, en medio de la mesa, lucía un hermoso árbol de Navidad que el señor Warmbath me había hecho para darme una sorpresa. Parecía como si acabaran de cortarlo en el bosque y, sin embargo, lo había hecho pedacito a pedacito. Te diré cómo. Primero hizo un esqueleto usando un palo de escoba para el tronco y luego las ramas con alambre grueso. Después lo cubrió con cera blanda hasta que algunas de las ramas alcanzaron unos milímetros de grosor y otras menos. También puso un poco de cera en el palo de la escoba y, cuando el tronco y las ramas estuvieron completamente cubiertos de cera, lo espolvoreó todo con café molido, bien prensado sobre la cera. Esto las hizo parecer verdaderas ramas de un pino sin sus agujas. A continuación, tomó un poco de paja, la echó directamente en una caja y la pintó de verde. Cuando la pintura estuvo seca, la cortó en pedazos tan largos como agujas de pino y con cera derretida los pegó por todas las ramas del árbol. Parecía tan real que pensé que se podía oler los hermosos bosques de pinos en casa. Alrededor del árbol mi madre había dispuesto las medias. Era una hermosa visión.

El árbol estaba adornado con cadenas hechas de palomitas de maíz, y otras de papel de aluminio, cuernos de la abundancia, «dólares de plata» y dos docenas de velas.

Los esquimales estaban muy serios al principio porque pensaban que estábamos adorándolo, pero, cuando nos vieron reír y les di a cada uno un calcetín, también gritaron y se rieron diciendo: «¡Peuk! ¡Peuk!» muchas veces. Mamá les dio pastel y café, y traté de explicarles que árboles como este crecían en la tierra donde vivía el hombre blanco, pero no me creyeron, pues me dijeron: «Oh, no nos puedes engañar, vimos al señor Warmbath hacerlo».

En nuestra cena navideña comimos rosbif (enlatado), tomates guisados (enlatados), hojas de diente de león y maíz (enlatados) y frijoles horneados. De postre budín de ciruelas con salsa.

Tras la cena hubo canciones y juegos, y durante un rato me olvidé de que estaba a miles de kilómetros de casa y de cualquier otra gente blanca. Mamá y yo fuimos invitadas a tomar el té con el capitán Sam en la cabina delantera, y pasamos una tarde placentera. Me preguntaba si papá había tenido una buena Navidad y si pronto estaría con nosotros. Este es el primer árbol de Navidad real y de celebración que los nativos han visto alguna vez, y estoy segura de que no lo olvidarán nunca.

Para que vean que lo pasé bien, tan solo me hubiera gustado además que estuvieran todos conmigo. Les mando mucho amor y muchos muchos besos.

Con amor,
NIEVE

X

Terminadas las vacaciones, todo siguió como siempre. Ah-Ni-Ghi'-To daba paseos todos los días con su madre y con algunos de los esquimales. Una vez, subiendo una pendiente empinada de nieve dura, Ah-Ni-Ghi'-To empezó a resbalar y no pudo detenerse. Ya estaba muy abajo y asustada cuando uno de los muchachos esquimales corrió hacia ella, hundiendo sus pies en la nieve dura lo suficiente como para fijar en ella sus talones y mantenerse firme. Ella se aferró a él hasta que también pudo fijar sus talones en la nieve. Luego, ambos tuvieron cuidado en elegir bien su camino fuera de la pendiente resbaladiza hasta donde la nieve era blanda y sus pies se hundían en ella.

En otra ocasión caminaron más lejos de lo que pretendían, y la luna se escondió tras las nubes, dejando todo bastante oscuro. Al tomar un atajo, y llegar a una pendiente que, desde la penumbra, no parecía muy empinada, decidieron sentarse y deslizarse por ella, pero apenas se sentó Ah-Ni-Ghi'-To salió disparada fuera de la vista, y sucedió tan rápido que nadie fue capaz de advertirlo. Afortunadamente, al fondo de donde cayeron había un buen lecho de nieve blanda.

Después del 15 de enero empezó a haber un poco de luz todos los días, pero el sol realmente no alumbró en el Barlovento hasta el 21 de febrero. Los días se iban volviendo cada vez más largos; es decir, el sol salía antes y se ponía más tarde, así hasta el 21 de marzo, en que empezaba la primavera y ya lucía desde las 6 de la mañana hasta las 6 de la tarde y después ya sería de día toda la noche. Por extraño que parezca, ahora hacía mucho más frío de lo que se sentía mientras estaba oscuro. Pero a nadie le importaba el frío mientras brillase el sol.

Los esquimales de todo Smith Sound venían con más frecuencia a visitar el barco y cada vez traían a Ah-Ni-Ghi'-To cosas, ya sea guantes de piel o medias o *kamiks*. Lo que más le agradó era la cantidad de niños que venían con ellos.

Escribió:

> Cuando Achatingwah y yo volvimos hoy de navegar, nos encontramos ocho trineos con esquimales que habían venido de Etah y, oh, hay tantos niños que lo vamos a pasar muy bien.
>
> Tres de las mujeres traían bebés diminutos en sus capuchas. Uno de ellos fue llevado a la madre justo antes de partir hacia la embarcación. Era mucho más feo que los demás. Su cabeza se tambaleaba adelante y atrás sobre el hombro desnudo de su madre. Lo llevaba todo desnudo, excepto por un pequeño gorro de piel ajustado y una camisa corta de piel de zorro, en una capucha a su espalda sobre su piel desnuda, para ayudar a mantenerle caliente, pero sus ojos nunca están abiertos, lo que me hace pensar en un gatito joven.
>
> Los otros dos deben ser más mayores, porque pueden mantener la cabeza erguida, y tienen los ojos abiertos todo el tiempo cuando están despiertos.
>
> Cuando las madres quieren darles de comer, sacan al pequeño desnudo fuera de la capucha, sin cubrirlo, directamente a la intemperie del frío y a los bebés no parece importarles en absoluto. Estos son unos niños pequeños. Mañana mandaré a Billy que los lave para poder jugar con ellos.

Todos tienen cabello y grandes ojos negros, dientes blancos y esas pequeñas narices chatas, y usan divertidos pantaloncillos hechos de piel de oso, con pequeñas botas forradas de piel y grandes abrigos de piel de zorro. Podría reírme cada vez que los miro.

Achatingẃah me contó hoy todo sobre el sol y la luna. Hace muchos muchos años, más de los que los esquimales más viejos pueden recordar, una niña salió corriendo de un iglú con una tea de musgo encendido en la mano. Su hermano corrió tras ella con un trozo de musgo más grande. Corrieron tanto que llegaron hasta el cielo donde la niña se convirtió en la luna y su hermano en el sol. ¿No es divertido? Decimos que hay un hombre en la luna y los esquimales creen que es una niña.

XI

Pasó marzo y llegó abril, con el Día de los Inocentes y la Semana Santa, de la cual, por supuesto, los amigos esquimales de Ah-Ni-Ghi'-To no sabían nada. Durante abril hubo muchos días agradables, y Ah-Ni-Ghi'-To y su madre estaban fuera la mayor parte del tiempo.

Los esquimales cruzaron Smith Sound hacia aguas abiertas frente a la costa de Groenlandia, donde abundaban las morsas y donde la mayoría de la tribu se reunía cada primavera para la caza. Cada familia construye un iglú de nieve, y allí se queda para cazar y darse un festín hasta que la ruptura del hielo les advierte que, si desean regresar a su asentamiento antes del próximo otoño, deben seguir adelante.

Solo una familia y un niño huérfano permanecieron en el barco. Este chico era el hijo de Magipsu, la costurera que cosía para la madre de Ah-Ni-Ghi'-To la primera vez que vino al País de las Nieves, y a quien encontró agonizando dos años después.

Este pobrecito también había perdido a su padre desde entonces y estaba muy solo. Nadie en particular lo cuidó, aunque, si necesitaba ropa, alguna de las familias que mejor podía prescindir de ella se la daba, y conseguía comida dondequiera que se encontrara.

Koodluk'too, o «Buena suerte para ti», como lo llamaba Charley, y Ah-Ni-Ghi'-To se convirtieron en grandes amigos, y la madre de Ah-Ni-Ghi'-To dijo que podría quedarse en el barco y así ella lo cuidaría mientras pudiera permanecer en el País de las Nieves.

Esto le ofreció a Ah-Ni-Ghi'-To un compañero y guía constantes, porque conocía los comederos de la liebre y del zorro, los lugares de anidación del pato Eider, el ganso Brant y otras aves cuyos huevos serían muy bienvenidos como pago.

Aunque joven, Koodluk'too, como todos los niños esquimales, sabía guiar perros, y él y Ah-Ni-Ghi'-To daban paseos frecuentes tirados por seis u ocho perros que parecían lobos. Ella escribió:

28 de abril

Un hermoso día y me he divertido mucho. Koodluk'too me llevó en trineo alrededor de Elephant Head y al regresar, como los perros no estaban acostumbrados a tirar juntos, no siempre íbamos a donde queríamos.

Ya que los perros se guían con el látigo y no con riendas como nuestros caballos, el pobre Koodluk'too mantuvo el brazo en movimiento todo el tiempo, y se enardecía tanto cuando no le obedecían que me rozó la cabeza y el cuello mientras balanceaba el látigo sobre su hombro. Pero mi capucha de piel es tan gruesa que no me dolió en absoluto. Se sintió mal por lo que pasó porque dice que los hombres no hacen eso y que debería saber hacerlo mejor. Pensé que seguramente se iba a quedar ronco, porque no dejaba de gritar a los perros todo el tiempo.

Una vez, cuando nos cruzamos con la huella de un zorro en el hielo, los perros tiraron a galope para seguirlo, y la única forma en que Koodluk'too pudo detenerlos fue dirigir el trineo contra un gran trozo de hielo sólido. Eso me dio un golpe terrible y a punto estuvo de tirarme si no me advirtiera que me mantuviera firme.

Los perros se ven muy bonitos cuando van de paseo. Cada uno lleva su cola peluda sobre su espalda como un plumero.

Es un buen deporte deslizarse sobre el hielo liso, pero no creo que me gustase hacerlo todo el día.

Antes de partir, uno de los esquimales le regaló a Ah-Ni-Ghi'-To un cachorro con el que ella y Koodluk'too podrían realizar grandes carreras. Era de color marrón rojizo, por lo que la bautizó como Canela, pero la llamó Can para hacerlo más corto. No hacía más que travesuras por eso los marineros la llamaron Pecaminosa.

El 5 de mayo Ah-Ni-Ghi'-To engatusó a su madre para que horneara un pastel, y así festejar con sus amigos el cumpleaños del padre que era al día siguiente. Todo el día estuvo ocupada con Charley preparando el banquete y, cuando llegó la noche, se alegró de subir a su litera y dormir. No podía dejar de soñar que algo grandioso sucedería al día siguiente antes del desayuno.

La noche siguiente escribió en su diario:

6 de mayo

Parecía como si acabara de cerrar los ojos cuando me despertó mamá, que estaba sentada en la cama gritando: «Charley, Charley, abre la puerta del camarote rápido. Ha llegado el señor Peary». Primero pensé que estaba soñando, pero un segundo después escuché algunos ruidos en la puerta del camarote, mientras Charley, medio dormido, estaba tratando de desbloquearlo. Luego un gigante, todo vestido de oso y venado, venía hacia la cama preguntando por su bebé, y aquí estaba mi padre real y verdadero, sano y salvo, en su cumpleaños. Hurra, hurra, ahora sí que podíamos celebrarlo; mi madre conocía sus pasos incluso estando dormida. Querido papá, estaba igual. Por supuesto, nos levantamos y vestimos mientras papá se bañaba, y a las cinco de la mañana toda nuestra familia se sentó a desayunar junta, por primera vez en tres años. El día ha sido una fiesta para todos a bordo.

XII

Tras el regreso del padre de Ah-Ni-Ghi'-To, el tiempo pasó volando. Ahngoodloo y Billy Bah estaban entre los esquimales que regresaron con el padre de Ah-Ni-Ghi'-To, y ahora se unieron a Koodluk'too y a ella en sus juegos.

El padre de Ah-Ni-Ghi'-To les comunicó que no regresaría a casa este verano, que permanecería un año más e intentaría llegar al Polo Norte.

Durante los largos meses de invierno, mientras la casa de Ah-Ni-Ghi'-To había sido el Barlovento, el viejo barco se mantuvo tan estable como una casa en la costa, porque estaba sujeto firmemente por el hielo y no podía moverse. Pero el 7 de junio, mientras Ah-Ni-Ghi'-To cenaba con sus padres, se sorprendieron al escuchar un fuerte crujido y al mismo tiempo notaron temblar al barco. Luego sintieron moverse ligeramente de lado a lado.

«Somos libres —dijo el padre de Ah-Ni-Ghi'-To—, el viejo Barlovento ha salido de su camarote de invierno y anhela partir de nuevo». Todos corrimos a cubierta, y el viejo barco estaba a flote una vez más. Pero el hielo solo se había derretido en sus costados, dejándolo sin apoyo. Por ningún lado parecía inclinado a soltarse, de modo que mientras el Barlovento siguiese a flote ella seguía siendo prisionera del hielo.

A mediados de junio, el hielo marino estaba cubierto de charcas de agua y no era tarea fácil llegar a tierra desde el barco sin mojarse los pies. Escribanos nivales revoloteaban sobre las rocas, y aquí y allá se veían pequeños mechones de hierba verde.

Los esquimales arponearon algunos narvales al borde del hielo y Ah-Ni-Ghi'-To fue quizás la única niña blanca que vio estos extraños animales marinos del Ártico, con sus largos cuernos de marfil blanco y enormes colas.

Los hombres intentaron liberar el barco buscando una vía a través del hielo hacia el mar abierto. Se usaron sierras de uno o dos metros de largo, y durante semanas se fue aserrando las placas. A veces se dejaba caer una botella llena de pólvora bajo el hielo a través de un agujero que había sido perforado, con el fusible sujeto a ella y encendido. Cuando el fuego alcanzaba la pólvora estallaba, pero solo se conseguía romper un poco de hielo.

Durante todo este tiempo Ah-Ni-Ghi'-To fue todos los días a la isla con Koodluk'too y Billy Bah para recoger huevos, que ahora eran abundantes.

Los patos ponen sus huevos en los salientes de las rocas, en nidos hechos con el vello que se arrancan de sus pechos. Como cientos de pájaros tenían sus nidos en esta isla, no era necesario coger todos los huevos del mismo nido, lo que dejaba suficientes para que las aves pudieran reproducirse.

Un día, una gran tormenta de viento norte barrió y rompió todo el hielo que había sido agrietado por la voladura y despejó el puerto. Solo quedó una pequeña bandeja de hielo de un año entre el barco y el mar abierto.

Se encendieron las calderas y, con la ayuda de las sierras y el vapor, el barco pronto pudo empujar el hielo restante, y el 3 de julio, con todos sus seres vivos a bordo (no nos olvidemos de los setenta y cinco perros), el Barlovento salió a vapor del pequeño puerto donde había estado recostado durante diez meses, y llegó a Littleton Island, en la orilla opuesta, esa misma noche.

Al día siguiente era 4 de julio y se decretó un día festivo. El barco estaba decorado con sus banderas, y todos los que quisieran podían ir a disparar aves o a cazar morsas. Ah-Ni-Ghi'-To no hizo nada de esto, pero pasó un feliz día y en su diario habló de ello:

> *4 de julio de 1901*
> Hermoso día. Cálido, luminoso y soleado. Los hombres esquimales y la mayoría de los marineros salieron tras el desayuno en busca de lo que pudieran encontrar, y regresaron a las cuatro en punto con ciento veinticinco patos, tres barriles de huevos y dos morsas. Los huevos serán empaquetados para uso del padre en el otoño. Madre, padre, Percy y yo hemos estado en tierra recogiendo flores, jugando y pasando un buen rato. Cena a las cinco, y luego yo escuché a mis padres planear cruzar el país a pie hasta Etah, mientras el capitán Sam llevaba el Barlovento hasta allí. Los convencí para dejarme ir con ellos, pero mi madre dijo que no se podía caminar porque había mucho que ascender, pero mi padre dijo: «Déjala intentarlo. Yo creo que puede hacerlo». A las siete y media, mi padre, dos de los marineros y yo desembarcamos, y con nuestras *kapetahs* (abrigos de piel de zorro) sobre nuestros hombros partimos. Caminamos sobre el pedregal, arriba y abajo al otro lado de los acantilados. En algunos lugares mis pies se hundían en el musgo húmedo hasta mis tobillos. Los bancos de nieve empinados y duros me hacían dar tumbos. En cierto momento tuvimos que trepar por las altas paredes

de un acantilado con el agua helada estrellándose contra ellas tres metros y medio más abajo.

Padre dijo que era de unos tres metros y medio, pero yo pensé que era veinticinco. Si me hubiera caído, habría tenido el baño más frío que nunca pudiera imaginar. Tuvimos que vadear algunos de los arroyos poco profundos, pero lo suficientemente fríos para mí. Estaba muy cansada, pero me hacía la promesa de no decir una palabra al respecto. Nos tomó dos horas, y mi padre dijo que habíamos caminado casi unos dos kilómetros, pero le ganamos al Barlovento, porque cuando llegamos a los iglús de Etah, la nave acababa de llegar, lo que me complació, porque ahora podía burlarme del capitán Sam. Tan pronto como el Barlovento llegó, mi madre y yo subimos a bordo, me frotó, me dio una taza de chocolate y me acostó. Estaba demasiado cansada para escribir mi diario, pero lo hice esta mañana, así que mi familia sabrá lo que pasó.

XIII

Desde Etah, el Barlovento navegó hasta la isla de Northumberland, donde fueron desembarcados, con sus tiendas y suficiente comida para que les durara unas pocas semanas, las mujeres esquimales, los niños (excepto Koodluk'too) y los perros, con algunos de los ancianos.

El barco, con el resto a bordo, partió para una cacería de morsas. El padre de Ah-Ni-Ghi'-To quería almacenar tanta carne como fuera posible para poder alimentar a sus nativos y a los perros durante el venidero invierno. La propia Ah-Ni-Ghi'-To cuenta cómo se cazaba a estos enormes animales:

> Durante los últimos diez días hemos estado cazando morsas. La morsa es un animal grande que vive en el agua, pero, como la ballena no puede respirar bajo el agua, sale a la superficie y llena sus pulmones con aire haciendo respiraciones profundas; luego cierra la nariz con fuerza y se sumerge, donde puede permanecer muchos minutos sin respirar.
>
> Les encanta gatear sobre las banquisas de hielo cuando brilla el sol, calentándose y durmiendo durante horas seguidas. Es entonces cuando los cazadores van tras ellas. Las morsas se cazan tanto con escopeta como con arpón.
>
> Mi padre envía cada bote con uno o dos hombres blancos con sus rifles y cuatro esquimales con arpones y flotadores. Reman hacia la cubeta de hielo donde duermen las morsas, acercándose a ellas desde el lado donde sopla el viento hacia el barco. Si llegaran del otro lado,

las morsas los olerían incluso durmiendo. Cuando el bote está lo suficientemente cerca, cada esquimal arroja su arpón a una morsa, y todas ellas se deslizan desde el hielo al agua. Las heridas por los nativos llevan la punta del arpón enganchada a su piel con una soga. El otro extremo de la soga está sujeto a un flotador. Así el barco las sigue, y cada vez que sube la morsa para respirar uno de los hombres intenta dispararle con el rifle. Son muy difíciles de matar porque la piel es muy gruesa y dura, así como la grasa bajo ella. A veces, si la morsa es muy desarrollada se enfada y trata de embestir al barco y hacerle volcar con sus colmillos de marfil. Incluso aunque no molesten al barco, a menudo intentan atravesarlo con sus colmillos, lo que asusta mucho a los esquimales y supongo que a los hombres blancos también, solo que no lo dirán. Después de matar a una morsa, se le deja el flotador sujeto para traerla al barco y subirla a bordo. No es un bonito animal, pero sí muy grande, y la carne es el mejor alimento para los perros. La morsa pesa más de cuatrocientos kilos, pero sus orejas son diminutos agujeros en su cabeza, tan pequeños que puedo meter mi dedo en uno; ahora, que su bigote es terrible. Me alegro de que el de mi padre no sea así. Sus cerdas son tan grandes como una de las agujas de tejer de mamá, pero de largo solo como mi dedo, y los extremos son muy afilados. Me pregunto si la señora Foca lo besa a veces. Mi madre dijo que cree que no. Después de que mi padre embarcara unas veinticinco morsas, navegamos junto a algunos grandes témpanos de hielo donde se coloca a los animales para cortarlos. Esto ahorra el desorden en la cubierta. La carne, la piel y la grasa son separadas y empaquetadas como comida para perros en el invierno cuando todo está congelado. «Cuando tengamos setenta y cinco morsas cortadas —dice mi padre—, regresaremos a cabo Sabine, si podemos, y desembarcaremos la carne para empezar de nuevo. Espero que no nos quedemos atrapados en el hielo».

Hacia mediados de julio teníamos a bordo más de cuatro mil kilos de carne y, como hacía buen tiempo, se pensó en hacer regresar al Barlovento a los cuarteles de invierno y desembarcar allí la carne. Lo que hizo sin toparse con los hielos, aunque poco después de llegar a puerto se levantó un vendaval durante varias horas.

Ah-Ni-Ghi'-To permaneció en tierra todo este tiempo y escribió en su diario:

16 de julio

Día agradable. Viento soplando fuerte por la tarde. Después de la cena mis padres y yo desembarcamos, y pude añadir algunas fotos más para las paredes de la habitación de mi padre y su comedor. Fuimos derechos al lago donde pasé un rato haciendo navegar mis botes y chapoteando en el agua entre las rocas. Alrededor de las cinco de la tarde mis pies estaban tan mojados que regresamos al barco. Veíamos a la nave moverse alejada de la orilla. El viento soplaba como un vendaval sin que pudiéramos oponer resistencia y el barco desapareció de nuestra vista.

Esperamos, pero, que me parta un rayo, no regresó, así que fuimos hasta la casa de mi padre y en seguida se encendió un fuego. Mi madre me quitó mis *kamiks* y calcetines mojados, y me puso un par de los de mi padre.

Cenamos al estilo de un picnic normal. La tapa de un baúl de mi padre era nuestra mesa; un papel sobre ella, nuestro mantel. Frijoles y maíz de lata, café, que bebíamos en jarras de cerveza, y una gran cantidad de galletas fueron nuestra abundante cena.

Estábamos comenzando a planear cómo pasaríamos la noche cuando, ooooh, sonó un silbido, y al mirar por la ventana vimos al viejo barco en el puerto. El viento no soplaba tan fuerte ahora, así que me coloqué mis *kamiks* y subimos a bordo. Ahí supimos que el Barlovento en realidad se había desanclado y el capitán tuvo que encender vapor para evitar que se estrellara contra las rocas.

Esta noche siento como si hubiera estado en un picnic.

En unos minutos salimos para Etah, y mañana pasaré el día con mis padres y las aves de los acantilados cerca de Etah.

XIV

17 de julio

Buen día, con un poco de viento.

Llegué a Etah esta mañana. Después de la cena partimos a tierra hacia las tiendas esquimales con mis padres. No habíamos avanzado mucho cuando nos adelantó uno de los trineos con perros de los esquimales de mi padre. Subimos todos y nos pusimos en marcha precipitándonos sobre el hielo y a través de los charcos de agua hasta que llegamos cerca de la arista de los acantilados. Aquí vimos cientos de aves llamadas «pequeños álcidos» posadas en la rocalla. Mi padre dijo que si pudiésemos llegar hasta ahí encontraríamos algunos huevos, ya que estas aves los ponen entre las piedras sueltas, sin hacer nido. Cada pájaro pone un solo huevo.

Con bastante dificultad llegamos a las rocas y comenzamos a buscar huevos. Encontré el primero. Después de recoger algunos más pasamos a las tiendas. Allí nos encontramos con que todos los hombres habían salido a capturar álcidos, así que fuimos hasta donde estaban las aves. En realidad, todas las rocas estaban cubiertas de pájaros. ¡Cómo charlaban! Volaban tan cerca de nuestras cabezas que podíamos ver sus negros ojillos. Tenían la cabeza, el cuello, el lomo y la cola negros, pero el pecho blanco. Sus alas eran también negras con algunas plumas blancas y las patas negras. Los hombres se escondieron entre las piedras para usar una red al extremo de un palo largo. Agarrando el extremo de la pértiga se lanza la red de un lado a otro mientras los pájaros van y vienen volando entre las rocas. Así los viejos que ya no pueden cazar morsas u osos pueden mantenerse a sí mismos y a sus familias. Las mujeres y los niños también ayudan. Cada esquimal vestía una camisa interior hecha con estas pieles, y podía llevar de setenta y cinco a cien por cada camisa. Encontramos algunos huevos más.

De vuelta hacia la orilla recogí muchos tipos de flores. Cuando llegamos al hielo, vimos a nuestro equipo de perros echar a correr con nuestro trineo. Pero un esquimal que acababa de partir hacia el barco me subió amablemente a su trineo. Los esquimales pueden subir y bajar del trineo mientras corren los perros. Traté de hacerlo yo también, pero una vez me caí al agua helada mojándome por entero, así que con eso fue suficiente.

Se hizo otro viaje a la antigua casa de invierno a fines de julio para llevar más carne.

El 1 de agosto el Barlovento ancló de nuevo frente a Etah y, mientras esperaba la llegada del barco para volver a casa, Ah-Ni-Ghi'-To aprendió a remar en un kayak esquimal.

El domingo 5 de agosto, mientras Ah-Ni-Ghi'-To y sus padres estaban abajo en la cabaña, escucharon a los esquimales gritar: «¡Oomiaksoah!», «¡Oomiaksoah!», y al salir corriendo en cubierta vieron un barco que acababa de doblar el cabo.

Ah-Ni-Ghi'-To estaba muy emocionada, pues creyó ver a su tío a bordo, pero a medida que el barco se acercaba descubrió que era un desconocido. El nombre del barco era Erik y traía muchas cartas de casa para ella y sus padres.

En una venía la triste noticia de que Ah-Ni-Ghi'-To nunca más volvería a ver a una de sus abuelas. Esto la entristeció mucho y quiso volver a casa de inmediato por temor a que otros más se fueran antes de que ella pudiera volver.

El Erik era un barco mucho más grande y fuerte que el Barlovento, y el padre de Ah-Ni-Ghi'-To dio la orden de que el Barlovento esperase aquí mientras el Erik le llevase con su equipo a través del Smith Sound, ahora lleno de hielo, y los desembarcase en su casa de invierno.

Ah-Ni-Ghi'-To, su madre y Percy subieron juntos a bordo del Erik con su padre y su equipo, y así poder estar con él todo el tiempo posible. Charley, el intendente, también iría para cocinar, y Ah-Ni-Ghi'-To le dijo que con él estaría seguro y podría cuidar de su padre.

Después de luchar con el hielo durante cuatro días, el Erik todavía estaba a treinta kilómetros al sur de cabo Sabine, y parecía existir pocas posibilidades de llegar más cerca.

El padre de Ah-Ni-Ghi'-To dijo entonces que toda la partida junto con los perros, la carne y algunas provisiones deberían ser desembarcados aquí, y que él continuaría su trabajo camino a su casa más avanzada la temporada.

Dos noches antes, el Erik escapó por poco de ser aplastado entre un pesado témpano y las paredes rectas y duras de la arista de un glaciar, contra el que le había empujado la corriente del hielo.

El 29 de agosto, Ah-Ni-Ghi'-To y su madre se despidieron de su querido papá y de Charley, prometiendo volver en barco el próximo verano, y a su vez su padre prometió que entonces volvería a casa con ellos.

El viaje de regreso a casa en el Erik se realizó en dos semanas. Ah-Ni-Ghi'-To llegó a Sidney el día después de su octavo cumpleaños, el 13 de septiembre, a tiempo para tomar el único tren del día en dirección a casa.

Dos días después estaba en casa de su abuela, pero, como había sido llamada a otro hogar, Ah-Ni-Ghi'-To no quiso quedarse mucho y al día siguiente ella y su madre fueron a Nueva York donde el tío las estaba esperando. Con él partieron hacia la casa de su otra abuela en Washington, adonde llegaron tarde en la noche y encontraron a todos dormidos. No tardó en despertar a toda la casa, y hubo gran regocijo, porque no habían visto a su Bebé de las Nieves en quince meses, y había tanto que contar que parecía como si nadie se fuera a acostar esa noche.

A todos les dio mucha pena que Ah-Ni-Ghi'-To no trajera a su padre a casa con ella, pero se alegraron de que lo dejara bien y de que prometiese volver a casa el próximo año.

Fue a la escuela de inmediato y encontró para su deleite que, puesto que había practicado con su madre durante el invierno pasado, ahora podía volver con sus amiguitos y compañeros de clase que habían asistido a la escuela todo el tiempo que ella permaneció en el País de las Nieves.

Cuando llegó julio, Ah-Ni-Ghi'-To y su madre abordaron una vez más el Barlovento, con el bueno del capitán Sam al mando, y navegaron de nuevo hacia el país de los icebergs y el sol de medianoche.

Cuando Ah-Ni-Ghi'-To regresó de este viaje, el siguiente septiembre tenía ya nueve años, y en lugar de enviar su diario a su abuela, que estaba todavía en Europa, se puso a escribirle una larga carta sobre la historia de su verano en el País de las Nieves.

XV

Nueva York, 20 de septiembre de 1902

Mi querida abuela: aquí estamos de nuevo y papá con nosotros, pero yo iré al comienzo de mi viaje para contaros todo al respecto.

El 21 de julio, mi madre y yo llegamos a Sidney y al día siguiente a las ocho en punto de la noche partimos de nuevo en el Barlovento. Nuevas estancias se habían acondicionado y disponíamos de un conjunto de camarotes que lo hacían muy agradable y cómodo.

Podía correr en cubierta cuanto quisiera, sin miedo a caer abajo, porque no había escaleras. Mi madre me dejó usar ropa de chico y me gustó mucho.

El capitán Sam fue tan amable conmigo como el año pasado, y tuvimos buen tiempo. No hicimos paradas en el camino y seguimos recto en dirección a la casa de mi padre. La mañana temprano del 5 de agosto ya estábamos tan cerca del cabo Sabine, donde está la casa de mi padre, que pudimos ver gente moviéndose sobre las rocas, aunque no podíamos distinguir si eran esquimales o blancos. ¡Oh, estaba emocionada!

Por un momento me pareció ver a mi padre, luego supe que no, y mi pobre madre se quedó parada y observando a través de las lentes, pero no dijo nada excepto: «Si veo a tu padre, te lo diré». En cuanto nos acercamos pudimos distinguir a Matt, luego a Charley, y luego a algunos de los esquimales, pero hasta que no llegamos a desembarcar casi no le vimos. Allí estaba, el doble de alto que cualquier otro, y no lo habíamos podido distinguir porque llevaba *kamiks* claros de piel de oso blanco, pantalones y camisa gris, y así se confundía con el mismo color de las rocas tras él.

Pensé que nunca desembarcaríamos, pero al final mi padre subió a bordo de un salto y yo me encontré en sus brazos abrazándole con fuerza. Por supuesto ahora estaba ansiosa por bajar a tierra y ver a Charley y Matt y Koodluk'too y Cin, mi perro, que dejé al cuidado de Koodluk'too. Billy Bah también estaba allí, me informó mi padre, y todos estaban esperando para verme. Desembarcamos una vez que mi padre gritó: «¡Ops! Todos a tierra». Encontramos la casa tan limpia y ordenada como era posible y mi madre se burló de Charley diciendo que sabía que había estado de «limpieza de la casa» desde que vio el vapor del Barlovento, pero contestó que la había mantenido así todo el tiempo. Luego me dijo: «Venga conmigo, señorita, y le mostraré cómo he estado pensando en Usted». Me condujo en primer lugar arriba de la casa, y aquí, en una gran caja con malla de alambre en un extremo, había cuatro de los conejitos más encantadores que nunca vi.

Tenían el lomo gris, pero su pecho y cabeza eran blancos como la nieve. Charley me aseguró que cuando crecieran serían por entero blancos como la nieve y que, cuando Koodluk'too los encontró para mí, no eran más largos que un gatito y tan grises como ratas, pero a medida que creciesen soltarían el pelaje gris y se volverían completamente blancos. Debes saber que ahora son míos y que Charley los ha estado cuidando para mí. Todo este tiempo, Koodluk'too permanecía de pie y a cada minuto me pedía que le acompañara porque quería enseñarme algo.

Tras alimentar a los conejos con sauce, a lo que son muy aficionados, fui con él y ¿qué crees que me mostró?: un par de los cachorros más encantadores que puedas imaginar, y mi vieja y querida Cin era su madre. Me reconoció al instante, y me lamió la cara y las manos de lo contenta que estaba de verme y de que conociera a sus queridos cachorros.

Me hubiera quedado con ellos todo el día, pero Charley me dijo: «Ven. Aún queda más por ver». Juntos fuimos hasta un curioso lugar construido con cajas y ramas, y allí estaba una ternerilla lanuda y negra con un largo mechón que le caía por la frente y colgaba sobre sus ojos. «Ven aquí, Daisy», le dijo Charley y corrió hacia él embistiéndolo, pero me aclaró que lo hacía porque tan solo quería su biberón, así que mandó a Koodluk'too a la casa a por él y cuando volvió la ternera hizo lo mismo que el bebé de la señora S. cuando tenía hambre y su madre le mostraba el biberón. Fue muy lindo.

Daisy era toda mía, me comunicó Charley, y esperaba que fuese buena con ella, pues aún habría que darle el biberón más de dos meses. La habían traído algunos de los esquimales de vuelta de una de sus cacerías de bueyes almizcleros en la que su madre había muerto. Cuando subiera a bordo, me dijo Charley, podría darle de comer y así me seguiría como lo hacía con él. Me alegra que no tenga cuernos como esos grandes bueyes almizcleros. Algunos de los esquimales murieron desde que los dejamos el pasado año y los que acompañaron a mi padre tenían prisa por regresar a sus asentamientos groenlandeses y ver a sus amigos. Antes de que tuviera suficiente tiempo para visitar nuestros lugares de juegos de antaño con Koodluk'too y Billy Bah, mi padre ya tenía todo dispuesto a bordo y estaba listo para partir. Odiaba decir adiós a este lugar en el que había pasado tan buenos momentos y que nunca volvería a ver.

Primero hicimos una parada en Etah que Koodluk'too, Billy Bah y yo aprovechamos para recoger algunos sacos de pasto para Daisy y ramas de sauces para los conejillos mientras los hombres esquimales iban tras las aves.

Tras la cena, Charley se ofreció a sacar conmigo a Daisy para que pudiera pastar en la hierba y retozar porque no se mostraba muy aficionada a estar en el barco. Deberías haberla visto mirar a todas partes y gritar cuando él se escondió tras las rocas.

Dejamos Etah y fuimos a visitar los lugares donde vivían los esquimales para que mi padre se despidiese de ellos y les dejara regalos.

Los nativos que habían estado con mi padre, unos cincuenta de ellos, le dijeron que les gustaría vivir en Academy Bay, en un lugar llamado Kang-erd-luk'-soah, por lo que el Barlovento navegó hasta allí, donde desembarcaron con sus pertenencias. La mayoría de ellos no tenían *tupiks* (tiendas) de piel de foca, por lo que mi padre les dio tiendas de lona.

Mientras las montaban, Charley tomó otra que también montamos y así podíamos bajar a tierra con Daisy para su almuerzo y quedarnos todo el día para que ella pudiera retozar y corretear.

Una vez que las tiendas estuvieron todas montadas, mi padre les dio a los nativos comida suficiente para todo el invierno, excepto carne. Luego les ofreció subir de nuevo a bordo del Barlovento para ir a cazar morsas hasta que tuvieran suficiente para ellos y sus perros durante todo el invierno. Mientras duró esta cacería, por la noche (por decir algo, ya que no la había y el sol brillaba todo el tiempo) fondeábamos para dormir.

Mi padre y el capitán Sam habían salido a cubierta cuando el barco dio unos golpetazos y encalló. Durante largo rato se trató de mantener el Barlovento a flote, pero se tumbó a un lado y todo en cabina volcó. No pudimos sacarlo hasta la noche siguiente. Estaba asustada pensando que a lo mejor tendríamos que quedarnos aquí todo el invierno.

Después de cazar cien o más morsas, las estibamos en el barco para volver a Kang-erd-luk'-soah y llevarlas a tierra. Allí mi padre envió a algunos de los nativos a cazar ciervos para poder tener también carne fresca en nuestro viaje de vuelta a casa. Los tres días que emplearon en ello, yo desembarcaba a la costa con mi cría. Y por supuesto no me olvidé de alimentar a mis cachorros y a los conejitos.

Le encargué Cin a Koodluk'too, porque mi madre me dijo que no había sitio para ella en casa. Y, en cuanto a los cachorros como los conejos y la ternera, mi padre me informó que se quedarían en el jardín del Zoológico de Nueva York.

Un día, mi padre puso a cantar a las esquimales ante el fonógrafo y después hizo que el fonógrafo les cantase su canción. ¡Deberías haberlas escuchado reír!

Tanto a Billy Bah como a Ahng'oodloo les hubiera gustado venir a casa conmigo, pero mi madre no les dejó. Ahng'oodloo quería mucho a mi padre y, cuando supo que no vendría, se llevó a Billy Bah a la montaña para no tener que despedirse. Todos los nativos se sentían tristes por dejar a mi padre, pero tras embarcar toda la carne de venado que necesitábamos debíamos partir. Pobre Koodleluk'too que se sentía tan mal como yo también.

Durante la travesía a casa andaba muy ocupada cuidando de mis mascotas, pero una mañana encontré muerto a uno de mis conejitos. Se lo había cargado otro de ellos en una pelea. Ahora son tan blancos como la nieve. Unas perfectas bellezas.

Nos detuvimos con los esquimales del lado oeste en una estación ballenera. No me gustaba nada el aspecto de estos nativos. Estaba segura de que no eran tan amables como la gente de mi padre. Los bebés no son tan bonitos y también son diferentes sus ropas. Sus abrigos llevan curiosas colas largas y las mujeres usan sucias faldas de calicó sobre sus pantalones de piel.

El carpintero tuvo que hacer más alta la marca de Daisy antes de llegar a Sidney porque había crecido mucho. Los cachorros también han crecido y son tan juguetones como gatitos. Debes darte prisa en llegar a casa y verlos por ti misma. Tengo mucho más que contarte, pero ahora no se me ocurre.

Con mucho amor: tu Bebé de las Nieves.

P. D.: Oh, olvidé decírtelo, el capitán Sam me enseñó cómo girar el timón y me dejó gobernar el Barlovento. Puedo hacerlo, navegar, virar, y atracar en puerto como los marineros.

CUANDO LAS EXTRAÑAS GENTES DE ESTA TIERRA SE ENTERARON DE QUE HABÍA APARECIDO UNA BEBÉ EN LA CASA Y QUE, ALGO MARAVILLOSO QUE CONTAR, ERA PERFECTAMENTE BLANCA, CIENTOS DE HOMBRES, MUJERES Y NIÑOS MONTADOS EN TRINEOS TIRADOS POR SALVAJES PERROS LANUDOS, QUE MÁS BIEN PARECÍAN LOBOS, LLEGARON PARA VER A LA EXTRAÑA CRIATURA.

JOSEPHINE D. PEARY

CUADERNOS DE HORIZONTE

9. *Naturalezas*
   Ralph Waldo Emerson
   Traducción de Carlos Muñoz y S. Sediles

10. *Ensayo sobre el exotismo. Una estética de lo diverso*
    Víctor Segalen
    Traducción de Martín Schifino

11. *Viaje de Egeria. El primer relato de una viajera hispana*
    Edición de Carlos Pascual

12. *Variaciones sobre Budapest* 2.ª ed.
    Sergi Bellver

13. *Huellas negras. Tras el rastro de la esclavitud*
    Diego Cobo

14. *Imagen de la India*
    Julián Marías

15. *Tiempo de Hiroshima*
    Suso Mourelo

16. *Eva en los mundos. Escritoras y cronistas*
    Ricardo Martínez Llorca

17. *La ascensión al Mont Ventoux*
    Francesco Petrarca
    Traducción de Iñigo Ruiz Arzalluz

18. *El espíritu de Roma. Fragmentos de un diario* 2.ª ed.
    Vernon Lee

19. *Diario austral. Crónica de un viaje a la Argentina*
Antonio Rivero Taravillo

20. *No le hagas preguntas a la tristeza. Antología de poemas de las tribus de la India*
Jesús Aguado

21. *Contra Florencia* 3.ª ed.
Mario Colleoni

22. *Al pie de la Torre Eiffel*
Emilia Pardo Bazán

23. *Lima, la sin lágrimas*
César Antonio Molina

24. *Lorenz Saladin. Una vida para las montañas*
Annemarie Schwarzenbach

25. *Viaje a Jerusalén*
Pierre Loti

26. *Himnos al sol en la oscuridad. Un viaje al Gales de Dylan Thomas*
Juan Pablo Bertazza

27. *Sepulcros etruscos. Un viaje por la Toscana*
Nicanor Gómez Villegas

28. *Al sur de Tánger. Un viaje a las culturas de Marruecos*
Gonzalo Fernández Parrilla

29. *Bebé de las Nieves*
Josephine Diebitsch Peary